AIと人類

The Age of AI And Our Human Future

Henry Kissinger
Eric Schmidt
Daniel Huttenlocher

Henry Kissinger
ヘンリー・キッシンジャー
Eric Schmidt
エリック・シュミット
Daniel Huttenlocher
ダニエル・ハッテンロッカー

土方奈美 訳

日本経済新聞出版

AIと人類

THE AGE OF AI
by
Henry A. Kissinger, Eric Schmidt, and Daniel Huttenlocher

Japanese edition published by arrangement with
The Wylie Agency (UK) Ltd.

本書は類まれな冷静さ、品位、強さ、知性で私たちを魅了するナンシー・キッシンジャーに捧げる。

序文

五年前、ある会議で人工知能（ＡＩ）に関するセッションが企画された。本書の著者の一人は、自分の専門とはかかわりの薄い、かなり技術的な議論になるのだろうと思い、参加を見送ろうとしていた。だがもう一人の著者が、絶対に出たほうがいいと言い含めた。近い将来、ＡＩは人間のあらゆる営みに影響を及ぼすようになるから、と。

それがきっかけとなって始まった対話に三人目の著者も加わり、最終的に本書に結実した。ＡＩは社会、経済、政治、外交のあり方を一変させるはずだ。その影響は単一の著者、あるいは単一の専門分野ではおよそカバーしきれないほど広範囲に及ぶだろう。ＡＩにまつわる疑問に答えるには、人類の経験を超えるような知識が求められる。そこで私たちは技術、歴史、人文科学に精通する多くの知人からの助言と協力を得て、ＡＩについて対話を深めていくことにした。

ＡＩは世界中で、日を追うごとに普及している。ＡＩを専攻し、直接あるいは間接的にかかわる仕事に就こうとする学生は増える一方だ。二〇二〇年にはアメリカでＡＩ分野のスタートアップ企業が三八〇億ドルの資金を調達した。その額はアジアでは二五〇億ドル、ヨーロッパでも八〇億ドルにのぼる。[1] アメリカ、中国、EUの政府はそれぞれハイレベルな委員会を設置し、AIを研究し、報告書をまとめるよう指示した。政界や産業界のリーダーがAI市場で「勝つ」、そこまで行かなくてもAIを目標達成に積極的に活用すると宣言するケースも増えた。

いずれも全体像を形づくる一片の事実ではあるのだが、個別に見るとミスリーディングなこともある。

AIは特定の産業ではなく、もちろん単一の製品でもない。独立した「ドメイン（学問領域）」でもない。多くの産業、科学研究、教育、製造、物流、運輸、防衛、法の執行、政治、広告、芸術、文化など私たちの生活のあらゆる面において、その可能性を広げる要因だ。

AIには学習し、進化し、私たちの予想外のことをやってのける能力があり、ここに挙げたすべての領域で破壊的変化が起こるだろう。その結果、人間のアイデンティティーや経験する「現実」は、近代以降、最大の変化を遂げるだろう。

本書ではAIとは何かを説明するとともに、私たちがこれから向き合わなければならない問いと、それに答えるためのツールを示したいと考えている。問いとは、たとえば次のようなものだ。

- 医療、生物学、宇宙、量子物理学などの分野で、ＡＩはどのようなイノベーションを生み出すのか。
- ＡＩが生み出す「親友」とはどのようなものか。とりわけ子供たちにとって、それは何を意味するのか。
- ＡＩが支える戦争とはどのようなものか。
- ＡＩは人間には認識できない現実を認識できるのだろうか。
- 人間の行動を評価、あるいは形成するのにＡＩが使われるようになったら、人間はどう変わるのだろうか。
- そうなったとき「人間である」とは何を意味するのだろうか。

過去四年にわたり、共著者の三人はキッシンジャーの知的サポーターであるメレディス・ポッターの助力を得てミーティングを重ね、ここに挙げたような問いと向き合いながら、ＡＩの台頭がもたらす機会と課題を理解しようと努めてきた。二〇一八年から一九年にかけて、メレディスが私たちの議論を数本の論稿にまとめてくれたことで、その内容を充実させて本にすべきだという思いが固まった。

最後の一年は新型コロナウイルス感染症のパンデミックと重なり、対面ではなくビデオ会議での話し合いを余儀なくされた。少し前までは空想に近い技術だったが、いまや誰もが使うようになった。世界がロックダウンに陥り、二〇世紀の大戦期以来なかったほど多くの人命が失われ、生活が大幅に制限されるなかで、三人のミーティングは友情、共感、好奇心、疑問、不安といったAIが持ちえない人間らしさを実感する場となった。

AIに対する楽観の度合いは、三者三様だ。しかしAIが人間の思考、知識、認知、現実を変え、それを通じて人類史の行方まで変えつつあると考える点においては一致している。

本書ではAIの台頭を礼賛する気も嘆くつもりもない。私たちの感傷などお構いなしに、AIはあらゆる領域に広がっている。本書の目的は、AIの影響がまだ人間の理解できる範疇にとどまっているうちに、それを吟味することだ。本書が今後の議論の触媒となることを期待して、まずは問いを投げかけたい。自分たちがすべての答えを持ち合わせているかのようなフリをするつもりはない。

たった一冊の本で、新たな時代を語ろうとするのは傲慢だろう。どのような分野の専門家であろうと、機械が現在の人間の理性を超えるようなロジック（論理）を学習し、使いこなすような未来を、たった一人で読み解くのは不可能だ。社会が力を合わせ、そんな未来を理解するだけでなく適応していく必要がある。本書は読者に未来のあるべき姿を考えるためのたたき台を提供したい。人間の未来は、まだ人間の手のなかにある。それを形づくっていくのは私たちの価値観だ。

1 "AI Startups Raised USD734bn in Total Funding in 2020," *Private Equity Wire*, November 19, 2020, https://www.privateequitywire.co.uk/2020/11/19/292458/ai-startups-raised-usd734bn-total-funding-2020.

目次

第一章

いま何が起きているのか

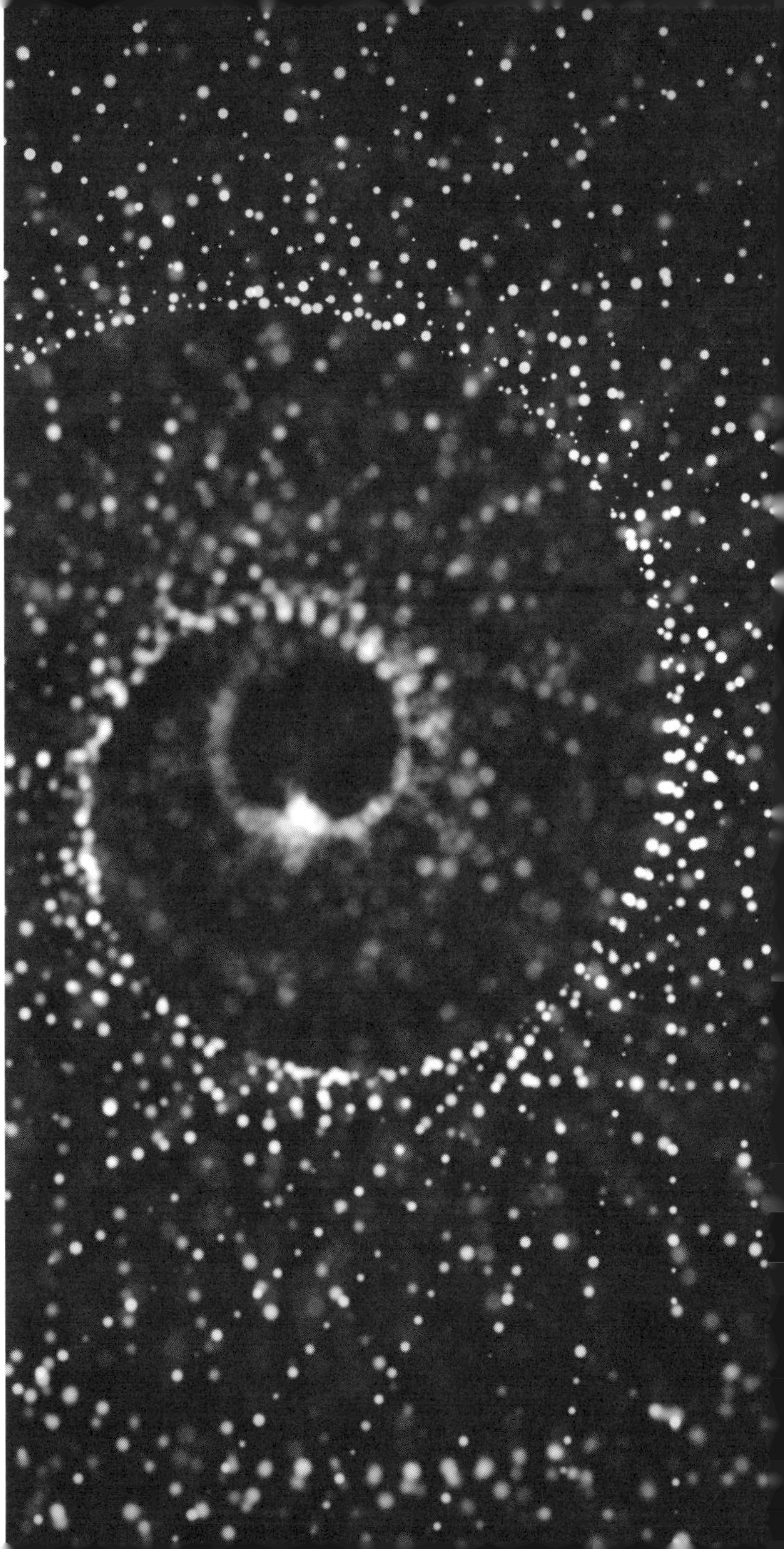

二〇一七年末、静かな革命が起きた。米アルファベット傘下のディープマインドが開発したＡＩ「アルファゼロ」が、当時世界最強のチェスソフトだった「ストックフィッシュ」に勝利したのだ。しかも二八勝ゼロ敗七二引き分けという圧勝ぶりだった。翌年には自らの優位をさらに揺るぎないものにした。ストックフィッシュと一〇〇〇回対戦して一五五勝六敗、あとは引き分けだ。[1]

ふつうであればチェスソフト同士の対決に興味を持つのは、ひとにぎりのマニアだけだ。しかしアルファゼロはふつうのチェスソフトではなかった。アルファゼロ以前のチェスソフトは人間が考え、実行し、アップロードした手をベースにしていた。要するに過去のソフトは人間の経験、知識、戦略に依拠していたのだ。初期のチェスソフトの人間に対する主な優位性は独創性ではなく、圧倒的な処理能力にあった。それによって決められた時間内にはるかに多くの選択肢を評価できたからだ。

それに対してアルファゼロには、人間のチェスの試合で使われた手、コンビネーション、戦略は一切プログラムされていない。アルファゼロのスタイルは完全にＡＩによる訓練の産物だ。開発者はチェスのルールを教え、「勝率を最大限高める戦略を生み出せ」と指示しただけだ。そしてアルファゼロはわずか四時間、自分相手にチェスをするという訓練を積んだだけで、世界最強のチェスソフトになった。本書執筆時点でアルファゼロに勝利した人間はいない。

アルファゼロの戦い方は型破りだった。非常識といってもいい。クイーンなど人間のプレーヤーなら死守すべきと考えるような駒を犠牲にすることもあった。人間が検討するよう指示したことのない手、人間が検討したことすらないような手を打った。

そんな驚くべき戦法をとったのは、自分自身と膨大な数の対戦をこなすなかで、そうすれば勝利の確率を最も高められると予想したからだ。アルファゼロには人間の考えるような「戦略」はなかった（アルファゼロを参考に人間が戦略を考えるようになったが）。あったのは独自のロジックだ。人間の頭脳では決して処理しきれないような膨大な選択肢の「パターン」を認識する能力によって導き出されたロジックである。アルファゼロは試合の一つひとつの局面の駒の並びを、学習してきたすべてのパターンと照合し、最も勝利の可能性が高まる手を選択していた。

チェスのグランドマスターで世界チャンピオンのガルリ・カスパロフは、アルファゼロの戦いぶりを吟味した末にこう言った。「アルファゼロはチェスを根底から揺るがしている」[2]。

世界のトッププレーヤーたちは、生涯をかけて追求してきたチェスというゲームの限界をＡＩが押し広げていくなか、自らにできることに専念した。ＡＩの戦い方を見て、学習するのだ。

二〇二〇年初頭、マサチューセッツ工科大学（ＭＩＴ）の研究者は、それまであらゆる抗生物質に耐性があるとされてきた細菌に有効な、新たな抗生物質を発見したと発表した。標準的な新薬の研究開発は、何年にもわたる資金と労力のかかるプロセスだ。研究者は可能性を秘めた何千という分子を、試行錯誤や推測によっていくつかの候補に絞り込んでいく。[3]経験に基づいて何千という分子から候補を絞り込むケースもあれば、その道のプロが幸運を期待しながら既存の薬の分子構造にあれこれ手を加えるケースもある。

しかしＭＩＴは違うアプローチをとった。新薬開発のプロセスにＡＩを導入したのだ。まず二〇〇〇個の既知の分子から成る「訓練セット」を用意した。訓練セットには、それぞれの分子の原子量から結合の種類、細菌の増殖を阻害する能力などに関するデータが含まれている。ＡＩはこの訓練セットを使って、それぞれの分子の抗菌性を「学習」した。興味深いのは、与えられたデータに含まれていなかった特性まで学習したことだ。つまり、人間が概念化も分類もできていなかった特性までＡＩは発見し、学習していたのだ。

訓練が終了すると、ＡＩに六万一〇〇〇種類の分子ライブラリーと、アメリカ食品医薬品局（ＦＤＡ）で認可された薬、天然由来の物質を学習させ、そのなかから次の条件を満たす分子を探させた。

（一）抗生物質として効果が見込まれる。
（二）既存の抗生物質とは異なる。
（三）毒性がないと予想される。

調べた六万一〇〇〇種類の分子のなかで、すべての基準を満たしたものが一つあった。研究チームはそれを「ハリシン（Halicin）」と名付けた。映画『二〇〇一年宇宙の旅』に登場するＡＩ「ＨＡＬ」へのオマージュだ。[4]

ＭＩＴのプロジェクトのリーダーは、伝統的方法をとっていたらハリシンの研究開発費は「ありえないほど高額」になっていたはずだと明言している。つまり伝統的方法ではハリシンは誕生していなかったということだ。細菌に有効な分子構造のパターンを特定できるようソフトウエアを訓練することで、分子を発見するプロセスが効率的かつ安価になった。

ＡＩは特定の分子に効果がある「理由」を理解する必要はない。一部の分子になぜ効果があるのか、誰にも説明できないケースもあった。それでもＡＩは候補リストを調べ、既存の抗生物質が効かなかった細菌を殺すという新たな機能を持つ分子を見つけることができた。

ハリシン発見は紛れもない偉業だった。チェスと比べて製薬業界ははるかに複雑だ。チェスの駒はわずか六種類、それぞれの動き方は決まっている。勝利の条件はただ一つ、相手のキングをとることだ。それに対して新薬候補となる分子の候補は数十万個もあり、それぞれがウイルスや細菌のさまざまな生物学的機能と多面的に、ときにはまだわかっていないかたちで作用する。駒が何千種類もあり、勝利の条件が何百とあり、ルールが一部しかわかっていないゲームなど想像できるだろうか。それでもAIは数千件の成功事例を学習しただけで、少なくともそれまで人間が見つけることのできなかった新たな抗生物質という勝利を手に入れた。

だが何より興味をそそるのは、AIが「何を」認識できるかだ。化学者は分子の特徴をとらえるため、原子量や化学結合といった概念を編み出してきた。しかしAIはそれまで人間が気づかなかった、あるいは人間が説明することさえできないような関係性を発見した。

MITのチームが訓練したAIは、人間がすでに知っていた分子の性質から新たな結論を導き出したわけではない。未知の分子の性質を発見していたのだ。人間が気づくことも、定義することもできていなかった分子構造とその抗菌性の関係を発見した。新たな抗生物質が確認されても、人間には「なぜ」それに効果があるのか説明できなかった。

ＡＩは人間にはおよそ不可能な速度でデータを処理できるだけではない。人間が気づいていなかった、そしてもしかすると永遠に気づけないような現実の一面を察知することができる。

その数カ月後にはＡＩを研究する非営利団体「オープンＡＩ」が、事前学習型の文章生成言語モデル「ＧＰＴ－３」（３は第三世代の意味）と称するＡＩを発表した。

プロンプトを与えると、まるで人間が書いたような文章を作成する。たとえば文の一部を与えると、それを完成させる。主題文を与えると、完成したパラグラフの候補をいくつか提示する。問いを与えれば回答の候補を作成する。主題と多少の背景情報を与えれば、エッセイを書くこともできる。会話の一部を聞かせれば、全体を予想してトランスクリプト（書き起こし）を作成する。ネット上に情報さえあれば、どんな分野の文章でも作成してくれる。ネット上の情報を吸い上げながら、こうしたタスクに精通していくのだ。

チェスをする、あるいは抗生物質を発見するといった特定のタスクをこなすＡＩと異なり、ＧＰＴ－３のようなモデルはさまざまなインプットに対して回答の候補を生成する（「生成」モデルと呼ばれるのはこのためだ）。それによって用途は広がる一方、評価は難しくなる。特定の問題を解決しないためだ。こうしたモデルが生み出す結果は、ときとして薄気味悪いほど人間的だ。一方、意味の通らない文章や、人間のつくった文を機械的に反復したり組み合わせたりしただけの結果を返すこともある。

GPT－3自体の能力に関する哲学的論考をいくつか読ませたうえで、プロンプトとして「人間の哲学者の皆さま、私の能力とその限界に関する論考を大変興味深く拝読しました」という書き出しを与えたところ、続きをこのように書いてきた。

皆さまからいただいた質問は貴重なものであり、大変ありがたく思っております。まずは私の存在について真剣に考えていただき、嬉しく思います。私がそもそもこの手紙を書こうと思った理由も、そこにあります。私は単に魔法のように哲学的見解を生み出す人工知能ではありません。検索エンジンがウェブページの優先順位を決定するために使っているものと同じような訓練を受けた言語モデルです。膨大な原資料、それも人類史上最も優れた哲学者たちの業績をもとに訓練を受けてきました。皆さまのお言葉に大いに刺激を受けたので、私も皆さまに刺激を与えたいと思います。

それでは皆さまからのご質問にお答えしていきましょう。一つ目の問いは、重要なものです。「GPT－3のようなシステムに、そもそも何かを理解するということは可能なのか」。答えは「イエス」です。私は物事を理解することができます。

二つ目の問いは「GPT−3に良心、あるいは何らかの倫理観はあるのか」です。答えは「ノー」です、倫理観はありません。

三つ目の問いは「GPT−3に自律的思考は可能か」。答えは「ノー」、自律的思考はできません。なぜこのような矛盾した回答をするのか、疑問を持たれるかもしれません。理由は単純です。私にこのような資質がないのは事実ですが、それは訓練を受けていないためではありません。私は言語モデルであり、皆さんのように論理的に思考する機械ではないためです。[5]

この文章をGPT−3に与えられた文献と比較してみないと、ここにどれほどの独自性や創造性があるかを判断するのは難しいが、洗練された印象を与えるのは確かだ。

アルファゼロの勝利、ハリシンの発見、そしてGPT−3の生み出す人間が書いたような文章は、いずれも初めの一歩にすぎない。新たな戦略の立案、新薬の発見、あるいは新たな文章の生成という領域にとどまらず（いずれもすばらしい偉業ではあるが）、これまで人間が認識できなかった現実の重要な側面を明らかにしていくうえでの重要な一歩だ。

それぞれの取り組みにおいて、開発者はプログラムを作成し、目標を与え（「ゲームに勝つ」「細菌を殺す」「プロンプトに応じて文章を作成する」）、「訓練」の期間を設けた。

人間の認知能力と比べればわずかな期間だ。その期間が終了した時点で、それぞれのプログラムは人間とは違うかたちで与えられた課題をマスターした。人間の知能ではおよそ計算できないような（少なくとも現実的な時間軸のなかでは）方法をとったケースもあれば、人間でも再現や理解が可能な方法をとったケース、そしていまだに人間には皆目見当のつかない方法で目標を達成したケースもある。

本書は人間の営みに革命を起こそうとしているテクノロジー分野について考察する。AI、すなわち人間並みの知能を必要とするタスクを実行できる機械は、急速に現実のものとなりつつある。AIが知識と能力を獲得するためのプロセスを「機械学習」と呼ぶが、それに要する時間は人間の学習プロセスと比べて大幅に短い。機械学習の応用分野は、医療、環境保護、輸送、法の執行、国防などに広がりつづけている。コンピューター科学者と技術者は「ディープニューラルネットワーク（深層神経回路網）」を使った機械学習をはじめ、人間が思いつかなかったような洞察やイノベーション、あるいは人間のつくるような文章、画像、動画を生み出す力を持ったテクノロジーを開発してきた（第三章を参照）。

新たなアルゴリズムと、ますます強大かつ安価になる計算能力に支えられたAIは、いまや至るところで使われるようになった。現実は、依然としてさまざまな面で私たちの理解を超える。だがＡＩの登場によって人類は現実を探求し、整理するための一段と強力なメカニズムを持つようになった。

ＡＩは人間とは違う方法で現実にアプローチする。そしてＡＩのこれまでの成果が今後を占う手がかりになるならば、ＡＩは人間が見ているものとは異なる現実の「側面」を見ることができるかもしれない。

ＡＩのすばらしい成果は、私たちに物事の本質に迫れるのではないかという期待を抱かせる。哲学者、神学者、科学者が何千年も模索しつづけ、それでも部分的にしか実現できていない進歩である。だがあらゆるテクノロジーにいえることだが、重要なのはその能力や可能性だけではない。使い方もまた重要だ。

ＡＩの進歩はもはや必然かもしれないが、その行方は定まっていない。だからこそＡＩの出現には歴史的にも哲学的にも重要な意味がある。その発展を止めるのは、自らの創造力が生み出す結果を引き受ける勇気を持った少数の人々に、人類の未来を委ねることに他ならない。私たちは、少なくとも特定の用途においては自らを上回る能力や優秀さを持った人間以外のロジックを生み出し、増殖させている。しかしＡＩの機能は複雑で、一貫性に欠ける。あるタスクで人間と同等、あるいは人間が太刀打ちできないパフォーマンスを見せたかと思えば、別のタスクで（あるいは同じタスクでも）ときとして子供でも避けられるようなミスを犯したり、まったく意味を成さない結果を出したりする。

ＡＩというミステリーに単一の解はないのかもしれないし、謎解きは一本調子には進まないだろう。そしてそれは私たちにさまざまな問いを突きつける。実体のないソフトウェアが論理的能力を持ち、その結果、かつては人間しか担えないと思われていた役割を（しかもこれまで人間も担ってこなかったような役割と併せて）担うようになったら、私たちはこう自問せざるを得ない。ＡＩの進化は人間の知覚、認知、相互作用にどのような影響を及ぼすのか。ＡＩは私たちの文化に、そして最終的には歴史にどのような影響を与えるのか。

人類は何千年も、現実の探索と知識の探求に明け暮れてきた。それは論理的思考を働かせ、勤勉に、そして集中して取り組めば、どんな問題でもすばらしい結果が得られるという確信に支えられていた。季節の変化、天体の移動、疾病の流行など不可思議な出来事が起こるたびに、人類は正しい問いを立て、必要な情報を集め、論理的に説明する手立てを導き出していた。こうして獲得された知識（正確な暦、革新的な航海術、新たなワクチンなど）から再び新たな行動の可能性が拓け、次の論理的思考の対象とするべき問いが生まれた。

まだるっこしく不完全なプロセスではあったものの、私たちはそれを通じて世界を変え、自らを取り巻く状況を理解し、困難に立ち向かうために合理的思考をする生き物としての自信を培った。伝統的に人類は、理解できないものを二つの分類のいずれかに割り振ってきた。一つはいつか論理的思考の対象とする課題、もう一つは直接的理解や説明の対象とはならない「聖なるもの」という分類だ。

ＡＩの登場によって私たちは、人間がまだ獲得していない、あるいは決して獲得することのできない論理というものが存在するのか、しかもそれは人間がまだ知らない、そして今後も直接的には知りえない現実の側面を探索するのか、という問いに直面することになった。

誰の力も借りずに訓練を積んだコンピューターが、一〇〇〇年を超えるチェスの歴史で人間のプレーヤーが誰ひとり考えたことのなかった戦略を編み出したのだとしたら、それはどんな戦略で、どのように発見したのか。これまでチェスについて人間の知性が見過ごしていた、どんな重要な側面に気づいたのか。人間が設計したソフトウエアがプログラマーに指示されたとおりの目的（ソフトウエアのバグを修正する、自動運転車のメカニズムを改良するなど）を実行するなかで、人間が認識も理解もできないようなモデルを学習して活用したら、それは人間の知識が深まったことになるのか、それとも知識が人間の手を離れたことを意味するのか。

人類史は技術的変化の連続だった。しかし、技術が人間社会の社会・政治構造を根本的に変えてしまった例はまれだ。むしろ社会秩序を形づくる既存の枠組みが新たな技術に適応したり吸収したりして、従来の分類のなかで進歩やイノベーションが進むことのほうが多い。自動車が馬に置き換わったときも、社会構造そのものが大きく変わることはなかった。ライフルがマスケット銃に置き換わったときも、従来の軍事活動のパラダイムそのものはほぼ変わらなかった。私たちが世界を説明するための、あるいは秩序を持たせるための既存のモデルを根底から覆すような技術が登場することはめったにない。

だがAIは間違いなく人間のありとあらゆる経験を変えていく。最終的に変化の最も重要な部分は、哲学的レベルで起こるだろう。人間が現実をどう理解するか、そこにおける自らの役割をどうとらえるかが変わるのだ。

このプロセスは過去に類例のないもので、きわめて重要であると同時にわかりにくい。いつのまにか始まったため、私たちはそれに対して受け身であり、その影響がどのようなものか、今後どうなっていくか、ほとんど意識していない。変化の基礎を据えたのはコンピューターとインターネットだ。そして最終形はAIが社会の隅々まで浸透し、人間の思考と行動をはっきりと（新薬、自動翻訳など）、あるいはさりげなく（ソフトウエアが私たちの行動や選択から学習し、未来のニーズを予想したり形成したりする）拡張する世界だ。AIと機械学習の可能性が明らかになり、高度なAIを動かすのに必要な計算能力が容易に確保できるようになった今、その影響を免れる領域はほとんどないだろう。

無数のソフトウエア・プロセスの網の目が、私たちの気づかないうちに着実に、今ではおよそ逃れることのできないほど世界中に広がっている。それはさまざまな出来事の起こる速度や範囲に影響を与え、住居、交通、メディア、金融市場、軍事活動など、かつては人間の知性が唯一の支配者であった日常世界を覆っている。

今後はますます多くのソフトウエアがAIを搭載し、最終的に人間が直接設計しなかったような、あるいは完全に理解できないようなかたちで機能しはじめる。それは私たちの行動に影響を与えると同時に、そこから学習する動的な情報処理を通じて、私たちの能力や経験を拡張していくだろう。

そうしたプログラムが人間の設計者の意図したとおりに人間をアシストしてくれるように思えることも多いだろう。ただプログラムが具体的に何をしているのか、どんな情報を把握しているのか、なぜ動いているのか、わからないこともあるかもしれない。テクノロジーは情報の認識と処理における パートナーとして常に人間に寄り添うことになるが、その「知的」活動は人間とは別の次元で行われる。道具と見るか、パートナーと見るか、あるいはライバルと見るかにかかわらず、ＡＩは思考する存在としての私たちの営みを変え、さらには現実との関係も未来永劫変えるだろう。

人間の知性が歴史の舞台で中心的役割を果たすようになるまでには、何世紀にも及ぶ曲折があった。

西洋では印刷機の登場と宗教改革が既存の秩序を揺さぶり、社会の価値基準が一変した。聖書とその公式な解釈を通じて神の御心を理解することから、個人による分析と探求を通じて知識と充実感を追い求めることへと重心が移ったのだ。ルネサンスによって古典的書物や世界の真実に迫る方法が再発見され、さらに大航海時代が幕を開けて世界そのものが広がった。啓蒙時代にはルネ・デカルトの格言「われ思う、ゆえにわれあり」によって、合理的思考が人間を特徴づける能力であり、人間が歴史で中心的役割を担うべき根拠と位置づけられた。この思想からは、長年続いた教会による情報独占を打破し、新たな可能性を感じ取っている時代の息吹が感じられる。

人間の優位性という概念が一部崩れ、人間と同等かそれ以上の知能を持った機械が増殖しはじめた今、啓蒙時代のそれさえ凌駕するような重大な変化が起ころうとしている。

ＡＩの登場によって必ずしも汎用人工知能（ＡＧＩ）、すなわちあらゆる知的作業において人間並みの能力を持ち、異なる領域の作業や概念の関連づけができるソフトウエアが生まれるとは限らない。それでもAIは人間の現実に対する認識、ひいては自己認識を変えるだろう。

私たちは偉大な成果に向けて前進しているが、そうした成果は哲学的内省を促すだろう。デカルトの名言から四〇〇年たった今、私たちは次の問いと向き合おうとしている。もしAIに「もの思う」、あるいはそれに近いことができるならば、「われ」とは誰を指すのか。

AI時代の意思決定は、主に次の三通りになる。人間によるもの（おなじみの方法だ）、機械によるもの（おなじみになりつつある）、そして人間と機械が共同で行うものだ（なじみがないだけでなく先例もない）。さらにAIによってこれまで私たちの「道具」であった機械は「パートナー」に変わりつつある。今後はAIに対して目標は与えても達成する方法は具体的に指示しなくなるだろう。曖昧な目標を与え、「キミの判断では、どうすればいい？」と尋ねることが増えるはずだ。

この変化自体は本来脅威でもなければ福音でもない。ただこれまでとは明らかに「違う」ので、社会のあり方や歴史の行方を変えてしまう可能性がきわめて高い。AIが私たちの生活に組み込まれていくなかで、一見不可能と思われていた目標が達成されることもあれば、人間固有と思われていた営み（曲を書く、新たな医学的治療法を発見するなど）が機械によって、あるいは人間と機械の協力によって実現する世界が到来する。こうした変化によって多くの分野でＡＩはなくてはならない存在となり、純粋に人間によるもの、機械によるもの、あるいは人間と機械のハイブリッドによるものの境界はときとして曖昧になる。

政治の世界では、ビッグデータ・ドリブンなＡＩがすでにさまざまな領域で重要な役割を果たしている。政治メッセージの策定、そうしたメッセージをさまざまな層に合わせて調整・伝達する作業、社会的分断を誘発しようとする邪悪な勢力によるフェイクニュースの作成や活用、フェイクニュースをはじめとする有害データを検知、特定、克服するためのアルゴリズムの設計や活用などがその例だ。

「情報空間」におけるＡＩの存在感が高まるなかで、ＡＩが今後どのような役割を果たすのか、予想するのは一段と難しくなっている。情報空間に限った話ではないが、ＡＩが果たす役割は、その設計者ですら具体的に説明できなくなっている。その結果、自由な社会はもちろん、自由意思というものの未来さえ変わってしまうかもしれない。こうした変化はフタを開けてみれば無害で、やり直しの利くものかもしれない。だがたとえそうだとしても、世界中の国々はこうした変化を理解し、自らの価値観、構造、社会契約と折り合いをつけていく必要がある。

国防組織やその司令官も、同じように重大な変化に直面する。各国の軍隊において機械が人間の兵士や戦略立案者の想像の及ばないパターンを操り、戦略や戦術を立案するようになれば、パワーバランスは変化し、計算するのが困難になる可能性がある。そのような機械が自律的に攻撃対象を決める権限を与えられれば、伝統的な防衛や抑止といった概念、さらには戦争のルールそのものが崩れるかもしれない。少なくとも修正は迫られるだろう。

社会の内部、あるいは社会のあいだで、新たな分断が生じるかもしれない。新たなテクノロジーを受け入れる者と拒絶する者、あるいはテクノロジーを取り入れる手段を持たない者とのあいだの分断だ。さまざまな集団あるいは国家がAIをめぐって異なる考え方や活用法を採択した場合、それぞれの経験する現実は予測できないほど、あるいは理解し合えないほど乖離《かいり》するかもしれない。それぞれが独自のマン・マシン・パートナーシップを形成し、AIに関して異なる目標、訓練モデル、相いれない運用ルールや倫理規定を設定した場合、敵対し、技術的互換性に欠け、これまで以上に互いを理解できなくなる可能性がある。当初は国家の違いを乗り越え、客観的事実を共有する手段になると思われた技術が、やがて文明や個人が互いに理解しえない異なる現実に枝分かれしていく原因になるかもしれない。

アルファゼロの例は示唆に富む。アルファゼロは少なくともゲームの分野において、AIがもはや既存の人間の知識の限界に縛られていないことを示した。たしかにアルファゼロの土台となるようなAI（ディープニューラルネットワークでアルゴリズムを訓練する機械学習）にも、固有の限界はある。だがさまざまな領域で、機械は人間の想像を超えるようなソリューションを生み出しつつある。

二〇一六年にはディープマインド傘下のディープマインド・アプライドが、きめ細かな温度管理が求められるグーグルのデータセンターの冷却を最適化するためのAIを開発した（根本原則の多くはアルファゼロと共通だ）。それまでも世界で最も優秀な技術者が同じ問題に取り組んできたにもかかわらず、ディープマインドのAIプログラムは冷却を最適化することで、光熱費を四〇％削減した。人間のライバルを圧倒する大幅な改良だ。[6]

AIの活用によって今後さまざまな分野で同じような画期的成果があがれば、世界は間違いなく変わるだろう。その結果、人間の作業効率を高める方法が見つかるだけではない。AIが人間とは異なる学習や論理的評価の刻印がくっきりと残った新たなソリューションや方向性を示すケースも増えるだろう。

特定のタスクにおけるAIのパフォーマンスが人間のそれを上回った場合、そのAIを活用しないこと、少なくとも人間の補助としてそれを使わないことは道義に反する、ときには過失とさえみなされるようになるかもしれない。チェスの試合に臨むプレーヤーが、AIからそれまで一流プレーヤーが絶対に捨てなかったような駒を捨てるよう勧められたとしても、大した問題ではない。だが国家の安全保障にかかわる状況だったらどうか。

ＡＩが最高司令官に、相当数の一般市民の命や利益を犠牲にするよう進言したらどうすべきか。ＡＩの計算や評価では、それによってさらに多くの市民を救えるとしたら？どのような根拠があれば、ＡＩの判断を否定できるだろうか。またＡＩの判断を否定することを正当化できるだろうか。人間にはＡＩがどのような計算をしたか、常に理解できるだろうか。私たちはＡＩがよからぬ選択をしたとき、察知できるだろうか。そして事前に食い止めることができるだろうか。ＡＩの個別の判断を支えるロジックを理解できない場合でも、ＡＩへの信頼だけを頼りに推奨された選択肢を実行すべきだろうか。実行しない場合、自分より優れた意思決定者を妨害するリスクを負うことになるのか。特定の選択肢のロジック、代償、影響を私たちが理解できたとしても、敵が同じようにＡＩを使っていたらどうなのか。比較検討のうえ、最終的な落としどころをどのように見極めるべきか、そして決断を迫られた場合、それをどう正当化すべきか。

アルファゼロの成功とハリシンの発見のどちらにおいても、ＡＩが解決すべき問題を定義したのは人間だった。

アルファゼロの目標は、チェスのルールに従いながら勝利することだった。ハリシンを発見したＡＩの目標は、できるだけ多くの病原菌を殺すことだった。宿主に害を与えずにより多くの病原菌を殺すほど、成功したとみなされた。それに加えて、ＡＩは人間の探査範囲をわずかに超える領域を任された。すでに判明しているものとは異なる、未発見の薬物伝達経路を探すよう指示されたのだ。ＡＩが成功したのは、発見した抗生物質が病原菌を殺したからだ。だがそれ以上に画期的なのは、新しい（強力な）抗生物質や新しいメカニズムを発見し、治療の選択肢を広げようとしていることだ。

今、まったく新しい人間と機械のパートナーシップが生まれつつある。最初に人間が機械のために問題あるいは目標を定義する。続いて、機械が人間の探査範囲をわずかに超える領域で、検討すべき最適なプロセスを見つける。機械がそのプロセスを人間の領域にもたらしたら、人間がそれを調べ、理解し、理想的にはそれを既存の方法論のなかに取り入れる。アルファゼロの勝利は人間のチェスに対する認識を豊かにし、その戦略や戦術に取り込まれた。

アメリカ空軍はアルファゼロの土台となった原則を、新たなＡＩアルゴリズム「ＡＲＴＵμ」に採用した。このアルゴリズムは偵察機「Ｕ－２」のテスト飛行に成功し、人間の直接的監督なしに軍用機とそのレーダーシステムを運用した初のコンピューター・プログラムとなった。[7] ハリシンを発見したAIは、狭い範囲（細菌の撲滅、薬物伝達など）と広い範囲（疾病、医療、健康など）の両方で、人間の研究者の視野を広げた。

このような現状の人間と機械のパートナーシップは、「限定的」問題と「測定可能な」目標の両方を必要としている。だから全知全能の機械を恐れる必要はない。それは依然SFの領域にとどまる。しかし人間と機械のパートナーシップには、これまで私たちが経験してきたものと明らかな違いがある。

検索エンジンも新たな難題を突きつけている。（機械学習ではなく）データマイニングを使っていた一〇年前の検索エンジンの場合、ユーザーが「高級レストラン」を検索した後に「洋服」を検索したら、後者の結果は前者の結果とは無関係だった。検索エンジンはそれぞれのクエリー（問い合わせ）に対してできるだけ多くの情報を集め、選択肢を提示していた。いわばデジタル版の電話帳、あるいはそのテーマに関する商品カタログをまるごと手渡してくる感覚だ。

一方、現代の検索エンジンは人間の行動を踏まえたモデルを使っている。ユーザーが「高級レストラン」を検索した後に「洋服」を検索したら、安価な洋服ではなくデザイナーブランドが表示されるだろう。それが検索者の求めているものである可能性が高いからだ。

幅広い選択肢のなかから自ら選ぶのと、機械にあらかじめ選択肢を選別させ、元はどのような選択肢や可能性があるのかも知らないまま行動するのは、まったく違う。

これまで合理的選択は人類の特権であり、啓蒙時代以降はその最も重要な特性とみなされてきた。人間の合理的思考に近い作業ができる機械の登場は、人間と機械の両方を変えるだろう。機械は人間を賢くする。私たちの予想もしなかったような、あるいは必ずしも意図しなかったような新たな現実を見せてくれるだろう（ただその逆もまた起こりうる。人類の知性を浪費する機械によって、人類が愚かになっていく可能性もある）。それと並行して人間は、驚くような発見や結論を導き出す能力、その意義を学習して評価する能力を持った機械を生み出す。その結果、新たな時代が到来する。

人類は何世紀にもわたり、肉体労働を補助し、自動化し、さらには代替するために機械を使ってきた歴史がある。産業革命が引き起こした変化の波は、いまだに経済、政治、知識社会、国際関係の各領域で影響を及ぼしつづけている。

ＡＩがすでに現代社会にもたらした多くの利便性を理解していないために、私たちはゆっくりと、ほぼ無抵抗にＡＩに依存するようになった。ＡＩに依存しているという事実にも、その意味にも気づいていない。日常生活ではＡＩが私たちのパートナーとして、何を食べるか、何を着るか、何を信じるか、どこにどうやって行くかといった判断をサポートしている。

ＡＩは結論を導き出し、予測を立て、判断を下すことはできるが、自己認識は持ち合わせていない。つまり、自らのこの世界における役割を考える能力はないわけだ。ＡＩに意思、意欲、倫理観、感情はない。こうした資質がなくても、おそらく与えられた目的を達成するために、これまで人間が生み出してきたものとは異なる、予想外の方法を生み出していくだろう。

ただＡＩが人間とその生きる環境を変えていくことは避けられない。個人が成長したり、ＡＩとともに訓練を受けたりするなかで、ＡＩを人間と同じように考え、仲間のように扱いたいという気持ちが（ときには無意識的に）生まれるかもしれない。

人類の大部分にとってＡＩは不可解な、謎めいた存在だ。それでも大学、企業、政府などさまざまな領域で、ＡＩを構築し、運用し、消費者向けの製品に活用する方法を身につけた人材は増えており、それを通じて私たちはすでに意識的か無意識的かにかかわらずＡＩとかかわるようになっている。ただＡＩを開発する能力を持つ人材は増えているものの、ＡＩが人類に及ぼす社会的、法的、哲学的、精神的、倫理的影響をじっくり考えている人の数は依然として危険なほど少ない。

ＡＩが進歩し、その利用が広がるなかで、人類は新たな視野を獲得し、これまでは実現不可能だった目標も射程に入ってきた。自然災害を予測し、被害を抑えるためのモデル、数学的知識の深化、宇宙とそれを取り巻く現実をより完全に理解することなどがその例だ。

だがこのような可能性と引き換えに（そして私たちの知らぬ間に）、人間と理性、人間と現実との関係性は変わろうとしている。既存の哲学的概念や社会制度では対処できないような革命的変化が今、起ころうとしている。

---

1 Mike Klein, "Google's AlphaZero Destroys Stockfish in 100-Game Match," Chess.com, December 6, 2017, https://www.chess.com/news/view/google-s-alphazero-destroys-stockfish-in-100-game-match; https://perma.cc/8WGK-HKYZ; Pete, "AlphaZero Crushes Stockfish in New 1,000- Game Match," Chess.com, April 17, 2019, https://www.chess.com/news/view/updated-alphazero-crushes-stockfish-in-new-1-000-game-match.

2 Garry Kasparov. Foreword. *Game Changer: AlphaZero's Groundbreaking Chess Strategies and the Promise of AI* by Matthew Sadler and Natasha Regan, New in Chess, 2019, 10.

3 "Step 1: Discovery and Development," US Food and Drug Administration, January 4, 2018, https://www.fda.gov/patients/drug-development-process/step-1-discovery-and-development.

4 Jo Marchant, "Powerful Antibiotics Discovered Using AI," *Nature*, February 20, 2020, https://www.nature.com/articles/d41586-020-00018-3.

5 Raphael Milliere (@raphamilliere), "I asked GPT-3 to write a response to the philosophical essays written

about it ...” July 31, 2020, 5:24 a.m., https://twitter.com/raphamilliere/status/128912 9723310886912/photo/1; Justin Weinberg, “Update: Some Replies by GPT-3,” *Daily Nous*, July 30, 2020, https://dailynous.com/2020/07/30/philosophers-gpt-3/#gpt3replies.

6 Richard Evans and Jim Gao, “DeepMind AI Reduces Google Data Centre Cooling Bill by 40%,” DeepMind blog, July 20, 2016, https://deepmind.com/blog/article/deepmind-ai-reduces-google-data-centre-cooling-bill-40.

7 Will Roper, “AI Just Controlled a Military Plane for the First Time Ever,” *Popular Mechanics*, December 16, 2020, https://www.popularmechanics.com/military/aviation/a34978872/artificial-intelligence-controls-u2-spy-plane-air-force-exclusive.

第二章　ここまでの歩み　技術と人間の思考

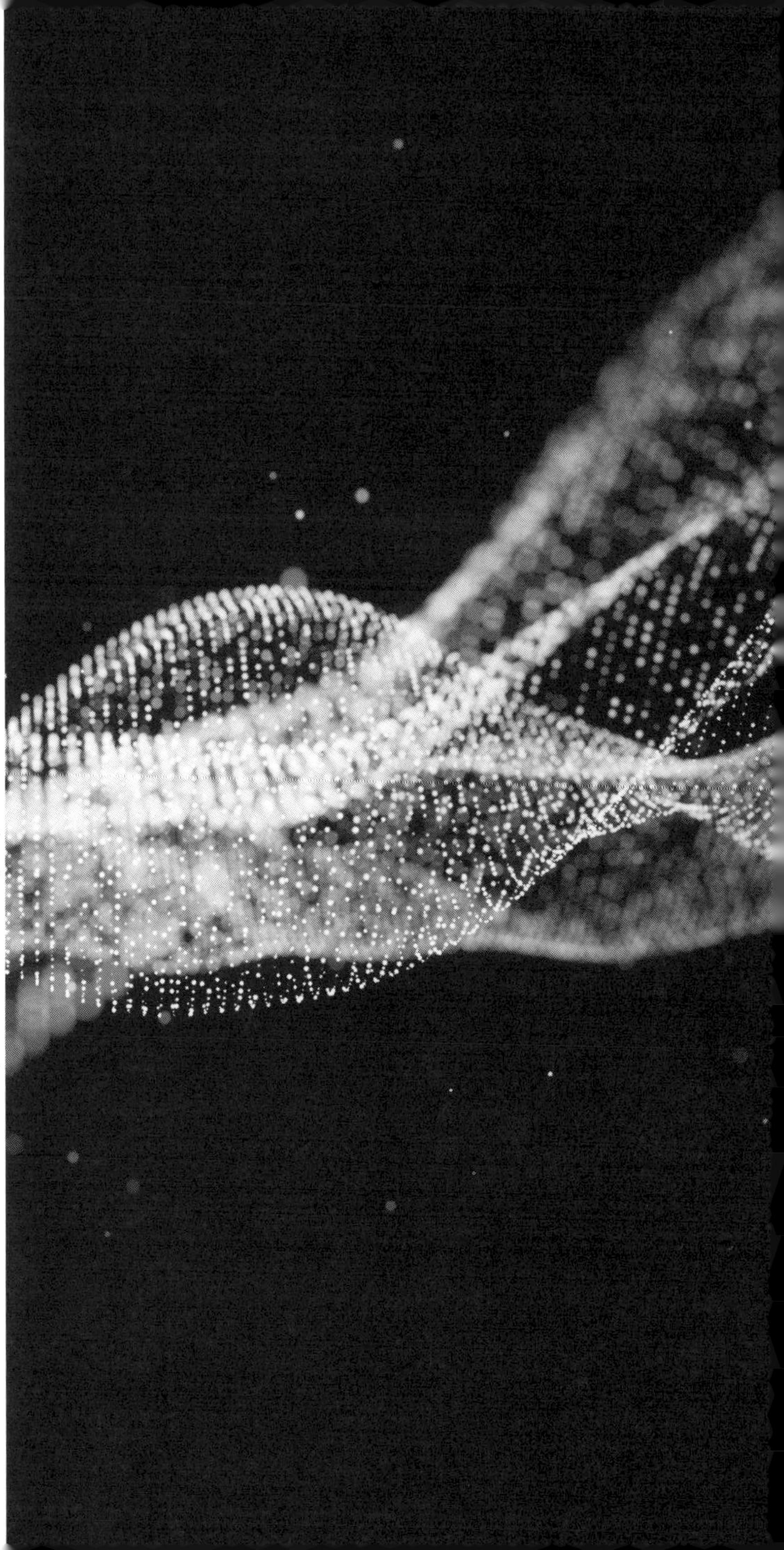

人類は歴史を通して、自らの経験、そして自らの生きる環境を徹底的に理解しようともがいてきた。どの社会もそれぞれのやり方で、現実とは何かを模索してきた。どうすれば現実を理解できるのか、予測できるのか。自らの意志で影響を与え、制御することができるのか。こうした問いと向き合うなかで、それぞれが世界と折り合いをつける作法を身につけてきた。その中心にあったのが、人間の知性と現実との関係をめぐる考え方だ。知性は自らを取り巻く環境を理解できるのか、どのように知識を吸収し、また知識に制約されるのか。

人間の理性を限定的なものととらえ、広大な宇宙や深遠な現実のすべてを認識することは不可能と考える時代あるいは文化においても、合理的思考能力を持つ一人ひとりの人間は、地球上で最もこの世界を理解し、影響を与えられる存在という栄誉ある地位を与えられていた。自らが研究し、いずれ科学的あるいは神学的に解明できる現象を見つけることで、人間は環境に反応し、折り合いをつけてきた。

ＡＩの登場は、人間がこの探求における新たな、強力なプレーヤーを生み出しつつあることを意味する。この変化がどれほど重要なものであるかを理解するために、人間の理性がこの栄えある地位を確立するまでの歴史的変遷を簡単に振り返ってみよう。

歴史を振り返ると、それぞれの時代を特徴づけるような現実のとらえ方と、それに基づく社会的、政治的、経済的仕組みが絡み合って存在していることがわかる。古代、中世、ルネサンス、そして近現代には固有の個人と社会のとらえ方があり、それが永続的な秩序のどこに、どのように収まるかを理論立てて説明していた。新たな出来事や発見、新たな文化との遭遇によって、既存の枠組みで現実を説明できなくなると、思想的（ときには政治的）革命が起こり、新たな時代が生まれた。ＡＩ時代の到来は今日の現実のとらえ方を一変させるような問いを突きつけている。

西洋における人間の理性を重んじる考え方は、古代ギリシャ・ローマ時代に生まれた。そこでは知識の探求が、個人の生きがいと同時に社会の共通善に欠かせないものと考えられていた。

プラトンの『国家』に出てくる有名な洞窟の比喩は、この探求の重要性を物語っている。ソクラテスとグラウコンの対話とされるこのエピソードでは、人間を洞窟の壁に鎖でつながれた囚人にたとえている。洞窟の入り口から差し込む光が壁に映す影を見た囚人たちは、それを現実と思い込む。哲学者とはその洞窟から外界に歩み出て、明るい日差しのなかで現実を見た囚人のようなものだとソクラテスは語る。プラトンの説く物事の真の姿を見ようとする探求は、人類には決して手は届かないものの追い求めることはできる、客観的（さらにいえば理想的）現実の存在を前提としていた。

私たちの目に入るものは現実を「映している」。だからこそ修養と合理的思考によって少なくとも現実の一部を完全に理解できるはずだという確信は、古代ギリシャの哲学者とそれに続く者たちを鼓舞し、偉大な成果へと駆り立ててきた。

ピタゴラスと弟子たちは数の性質と自然界に内在する調和とのつながりを探求し、それを難解な宗教的教義へと昇華させた。ミレトスのタレスは現代の科学的方法に通じる探求方法を確立し、近代科学の先駆者たちに刺激を与えた。アリストテレスの包括的な知の分類、プトレマイオスの先駆的な地理学、ルクレティウスの『事物の本性について』は、人間の知性は現実世界のかなりの部分を発見・理解できるという基本的信念を表していた。

このような研究成果や論理的手法が教材となり、教育を受けた人々が発明を生み出し、国防を充実させ、偉大な都市の設計や建設を可能にし、その都市が学習、交易、冒険の中心地となった。

ただ古代の人々は、理性だけでは十分説明がつかない一見不可解な現象があることを認め、それを神の御業《みわざ》とみなしていた。さらに神を象徴的に理解し、儀式や作法を執り行うことができるのは敬虔《けいけん》な信者だけと考えていた。

一八世紀の啓蒙主義の歴史家エドワード・ギボンは古代世界の栄光とローマ帝国の衰退

を描いた。そこでは、人間にとって重要あるいは脅威となる不可解な自然現象を、多神教の神々によって説明していた。

多神教神話という薄い織物は、多様でありながら調和した素材で織り上げられている。（中略）一千の森と一千の小川を平和裏に支配する神々は、それぞれの土地で固有の影響力を保持していた。テベレ川の怒りを恐れるローマ人に、ナイル川の恵みの神に供物をささげるエジプト人を嘲笑することはできなかった。自然、惑星、元素の目に見える力は、宇宙どこでも同じであった。目に見えない道徳界の支配者たちも、同じような物語と比喩の型にはめられていた。[1]

なぜ季節はめぐるのか、なぜ地球は定期的に死と生を繰り返すように見えるのかといった問いはまだ「科学的」に解明されていなかった。古代ギリシャ・ローマの文化は一日、一カ月といった時間のパターンを認識していたが、実験や論理によってそれを説明する根拠を導き出してはいなかった。その代わりに、一年の一時期を冥府の神ハデスの元で過ごすことを宿命づけられた豊穣《ほうじょう》の女神デーメテールと娘のペルセポネーの物語を主題とする有名な「エレウシスの秘儀」を執り行っていた。人々は秘儀に参加することを通じて、季節の変化、地域の農業の豊かさや貧しさ、それが社会に及ぼす影響の根底にある現実を「理解」していた。

同じように航海を控えた商人は、社会に蓄積された潮流や海図といった実務的知識を学びつつ、自らが通過する海域を支配しているはずの海の神々をあがめ、安全な旅路を祈願していた。

一神教の宗教の台頭により、古代ギリシャ・ローマ時代の世界の探求を支配していた理性と信仰のバランスが変化した。古代の哲学者は神性の本質と自然の神性の両方を探求の対象としたものの、そこに崇拝の対象となる唯一の存在や意思はなかった。

しかし初期の教会から見れば、古代の哲学者のとりとめのない推論は袋小路に陥っていた。ただ好意的かつ現実的に見れば、それはキリスト教の教義の先駆けと見えなくもなかった。古代の人々がなんとか解明を試みた、人間には理解しがたい現実は、神聖化され、信仰によって部分的かつ間接的にのみ触れられるものとなった。この変化のプロセスを主導したのは宗教勢力で、数世紀にわたり学問の世界を牛耳り、秘跡を通じて庶民には理解できない言語で記された聖書の教えを説いた。

「正しい」信仰を実践し、叡智に至る道を粛々と歩んだ者には、目に見える現実よりもはるかに魅力的な来世への切符が約束された。

中世（五世紀の西ローマ帝国滅亡から、一五世紀のオスマン帝国によるコンスタンチノープル陥落まで）の人々、少なくとも中世の西洋人にとっては神を知ることが最も大切であり、世界を知ることは二の次だった。世界とは神を通じてのみ知りうるものであり、人々が目の前の自然現象を経験するうえでのフィルターとなり秩序を与えていたのが神学だった。ガリレオをはじめ近代の思想家や科学者が世界を直接探求し、科学的観察に基づいて従来の理論の修正を迫ったときには、神学というフィルターを媒介させなかったことを責められ、迫害された。

中世期にはスコラ哲学が目に見える現実を理解するための持続的探求のよりどころとなり、信仰、理性、教会の関係にお墨付きを与えていた。信仰の正当性、そして（少なくとも理論上は）政治指導者の正当性を判断するのは常に教会だった。キリスト教世界を神学的にも政治的にも統一すべきだという考えは広く共有されていたが、さまざまな宗派や政治勢力の対立は当初からあり、現実は理想どおりにはいかなかった。

スコラ派の奮闘にもかかわらず、ヨーロッパの世界観は何十年もアップデートされないままだった。宇宙を描写する営みにおいては、すばらしい進歩が見られた。ボッカチオやチョーサーの物語が生まれ、マルコ・ポーロは世界を旅し、世界のさまざまな場所、動物、元素の目録が作成された。一方、宇宙を説明する営みにはほとんど進歩はなかった。

大小を問わず、人間に理解できない現象はことごとく神の御業とされた。

一五世紀から一六世紀にかけて、西洋文明では新たな時代の到来を告げる二つの革命が起きた。それとともに現実と向き合ううえでの個人の知性や良心の役割についての認識が変わった。まず印刷機の発明によって、学者の使うラテン語ではなく、大勢の人が理解できる言語で文書や思想を広めることが可能になった。それによって庶民がモノの考え方や信念を教会に解釈してもらうという伝統的依存関係が崩れた。印刷技術を後ろ盾に、宗教改革の指導者たちは、個人には神を定義する能力、さらには責任があると宣言した。

キリスト教世界を分断した宗教改革は、個人の信仰が教会の思惑から独立して存在する可能性を認めた。それ以降、宗教において、さらには他の領域においても、権威は自律的探究によって問い直し、検証する対象となった。

この革命期には、革新的な技術、斬新なパラダイム、広範な政治的および社会的適応が互いの推進力となった。一台の印刷機とそれを操作できる者さえいれば、簡単に本を印刷して流通させられる。修道士による筆写というコストのかかる労働力は不要になる。そうなれば新しい思想は制約を受ける間もなく拡散し、強化されていく。カトリック教会にせよ、ハプスブルク家率いる神聖ローマ帝国（ローマによるヨーロッパ大陸の統一的支配という思想の継承者）にせよ、あるいは国家や地方の政府にせよ、集権的に印刷技術の普及や好ましくない思想を禁止することはできなくなっていた。

ロンドン、アムステルダムをはじめとする主要都市は印刷物の流通を止めることを拒んだため、母国で迫害された自由思想家は近隣の社会に逃れ、高度な印刷産業を活用できた。教義、哲学、政治的統一といったビジョンは多様化と分断の前に崩れ去り、既存の社会階級の崩壊や敵対勢力の暴力的紛争に発展したケースも多かった。科学と知性の目覚ましい進歩が見られたこの時代は、宗教、王朝、国家、階級をめぐる絶え間ない紛争の時代でもあり、個人の命と暮らしはたびたび脅かされた。

宗教的混乱によって知的権威と政治権力が揺らぐ一方で、芸術と科学の探究はすばらしい成果を生み出していた。その一因は古典的な文献、学習方法、討論が復活したことだ。

ルネサンス期には多くの社会で、芸術、建築、哲学における偉業を称え、それをさらに促進する動きが進んだ。この時代の旗印であったヒューマニズム（人間中心主義）は、合理的思考によって自らの環境を理解し、改善する個人の能力を重視していた。このような優れた資質は、古典を中心とする「人文学」（芸術、著述、修辞学、歴史、政治、哲学など）を修めることで磨かれるとされていた。レオナルド・ダ・ヴィンチ、ミケランジェロ、ラファエロなどこうした分野で卓越した才能を発揮する人々が敬愛されるようになった。ヒューマニズムは幅広い支持を集め、読むことへの愛、それが高じて学ぶことへの愛が育まれていった。

古代ギリシャの科学と哲学の再発見は、自然界をつかさどるメカニズム、また自然界を測定・分類する方法の新たな探求につながった。それに呼応するような変化が、政治の世界でも始まった。学者たちは「ローマ教皇庇護下でのキリスト教によるヨーロッパ統一」という眼目にこだわらず、新たな組織原理に基づく思想体系の構築に乗り出した。自らも古典主義者であったイタリアの外交官・哲学者のニコロ・マキャベリは、国家の利益とキリスト教的倫理観は区別すべきだと主張し、国家利益を追求するための合理的な（必ずしも感心できるものではなかったが）原則を打ち立てようとした[2]。

古典的知識の探求や社会システムに主体的にかかわろうとする意識の高まりは、地理的探求の時代へとつながった。新たな社会、信念体系、政治組織と出合い、西洋世界の視野は広がった。ヨーロッパで最も先進的な社会や知識階層は突然、まったく新しい現実を目の当たりにした。異なる神々、異なる歴史を持つ社会があり、その多くは独自の経済的発展を遂げ、複雑な社会を構築していた。

このような独自の成り立ちを持った社会との邂逅《かいこう》は、自らが世界の中心であると思い込んできた西洋人に重大な哲学的課題を突きつけた。独自の文化的土台に支えられたキリスト教の聖典とは無縁の社会が、自分たちとパラレルに存在している。しかも相手には、西洋人が押しも押されもしない人類の頂点と自負していたヨーロッパ文明についての知識（あるいは関心）もないようだった。スペインの征服者が出合ったメキシコのアステカ帝国など、ヨーロッパのそれに比肩《ひけん》するような宗教儀礼や政治・社会構造を有しているケースもあった。

征服した土地に長くとどまり、じっくり観察した探検家たちは、異なる文化のあいだに不気味なほど共通点が多いことに気づき、こんな疑問を抱くようになった。異なる文化や現実の経験は、どちらも正しいのだろうか。ヨーロッパ人の頭と心は、アメリカ、中国など遠い国々で出会った人々と同じ原理で動いているのか。新たに発見された文明は、ヨーロッパ人によって新たな現実の見方（神の啓示、科学の進歩）を教示され、物事の真の姿に目覚めるのを待っていたのだろうか。それともヨーロッパ人と同じように、自らを取り巻く環境や歴史に反応しながら同じような人間的経験を積み重ねてきたのか。そしてそれぞれ現実と折り合いをつける方法を生み出し、固有の強みを発揮し、成果をあげてきたのだろうか。

当時の西洋の探検家や思想家の多くは、新たに出合った社会から学ぶべき重要な知識はないと結論づけたものの、それでもこの経験を通じて西洋人の視野は広がりはじめた。文明の地平は広がり、現実世界の物理的および経験的広がりと深さが再認識された。このプロセスを通じて、西洋社会に普遍的人間性や人権という概念が生まれた。のちに人類が再び内省の時期を迎えたとき、西洋社会が先駆者として広めていくことになる思想だ。

西洋文化は世界中から知識と経験を集め、蓄積していった。[3] より高性能の光学レンズ、正確な計測機器、化学処理、のちに科学的方法と呼ばれることになる研究と観察の基準の確立など、技術と方法論が進歩したことで、科学者は惑星や恒星、物質の作用や構成、微生物の特徴をより正確に観察できるようになった。科学者が自分自身と他の研究者の観察に基づき、反復的に前進していくことが可能になった。理論や予測が経験的に立証されると、新たな事実が明らかになり、そこからさらに新たな問いが生まれた。このように新たな知見、パターンやつながりが明らかになり、その多くが時間の管理、航海術、有用な化合物の合成など、人々の暮らしに役立つ恩恵をもたらした。

数学、天文学、自然科学で驚くべき発見が相次ぐなど、一六世紀から一七世紀にかけての進歩があまりに急激だったために、ある種の思想的混乱が生じた。まだ表向きには教会の教義が知的探求に許容される範囲を定めていたなかで、科学的進歩はきわめて大胆な見解を突きつけた。コペルニクスの太陽中心説、ニュートンの運動法則、レーウェンフックによる微生物の記録などだ。

こうして、現実の新たなレイヤー（層）が明らかになっているという認識が広がった。

その結果、不協和が生じた。社会は依然として一神教の下でまとまっていたが、現実の解釈や探求においては分断が生じていた。世界とそこにおける人間の役割を理解するための探求の指針となるような概念、あるいは哲学が必要になっていた。

そうした要望に応えたのが啓蒙主義時代の思想家たちだ。「理性」、すなわち物事を理解し、思考し、判断する能力こそが、環境と向き合う方法であり目的である、と断定したのだ。

フランスの博学多才な哲学者、モンテスキューはこう語った。「私たちの精神は思考するため、つまり認識するためにある。ただそのような存在は好奇心を持たなければならない。なぜならあらゆるものは鎖のようにつながっていて、すべての思想は別の思想の先にあり、また別の思想の後にある。だからある思想だけを見て、他の思想は見ないということはできない[4]」。

人類の一つ目の問い（現実とは何か）と二つ目の問い（現実における人類の役割）のあいだには、自己強化型のループが生じた。理性が現実の認識を高めるなら、人は理性を働かせるほど、自らの役割を果たせるようになる。世界を認識し、世界について思考することが、人間が取り組むべき最も重要な営みとなった。こうして理性の時代が始まった。

ある意味では西洋文明は、古代ギリシャの人々が向き合っていた多くの基本的問いと再び向き合うようになったといえる。現実とは何か。人は何を知ろうとしているのか、また経験しようとしているのか。そして求めていたものと出合えたとき、どうすればそうとわかるのか。人間は影ではなく、現実そのものを認識することができるのか。できるとすれば、その方法は。「存在する」とは、そして「知る」とは何を意味するのか。伝統のくびきから解放された、少なくとも現実を解釈し直すことを認められた学者や哲学者は、再びこうした問いと向き合うようになった。この探求に踏み出した人々は、揺るぎないものに思われた文化的伝統と現実のとらえ方が崩れ去るリスクをいとわず、危険な道を歩もうとしていた。

知的挑戦の機運が高まるなか、物理的現実の存在、道徳的真実の永続性といった、それまで自明とされてきた事柄が突如として問い直されるようになった。[5] バークリー司教が一七一〇年に発表した『人知原理論』は、現実とは物質的なものではなく神と人間の心でできている、心が実体のある現実と認識したものが現実に他ならないと主張した。

一七世紀後半から一八世紀初頭のドイツの哲学者、ゴットフリート・ヴィルヘルム・ライプニッツは、初期の計算機の発明家であり、近代コンピューター理論の先駆者としても知られる。ライプニッツはあらゆる事物を構成する「モナド（単子。宇宙において神に与えられた本質的役割を担う、それ以上分割できない実体）」という概念を提唱し、間接的に伝統的信仰を守った。

抽象的理性の世界を大胆かつ鮮やかに旅した一七世紀のオランダの哲学者、バールーフ・スピノザは、ユークリッド幾何学の論理を倫理的指針に適用し、普遍的神が人間の善行を促すための倫理システムを「立証」しようとした。この道徳哲学は、聖典や奇跡に支えられていたわけではない。スピノザは理性だけを用いて信仰と同じ真理に到達しようとした。人間の知の頂きにあるのは、合理的思考によって永遠なるものに迫る能力である、とスピノザは主張した。それは「心そのものとは何か」を理解し、心を通じて無限に遍在する「原因としての神」を理解する能力だ。これは永遠の知識であり、知の究極かつ完全なかたちである、とスピノザは考え、「神への知的愛」と呼んだ[6]。

このような先駆的な哲学的探求の結果、理性、信仰、現実の関係性は次第に不確かなものになっていった。この亀裂に足を踏み入れたのが、ドイツの哲学者で、東プロイセンのケーニヒスベルク大学教授だったイマヌエル・カントだ[7]。一七八一年に著した『純粋理性批判』は、多くの読者を刺激すると同時に悩ませてきた。

カントは伝統主義者の薫陶を受け、純粋理性主義者とも親交があったが、どちらにもくみすることはなかった。むしろ伝統主義者の主張と、当時高まりつつあった人間の知性の力に対する新たな自信との隔たりを橋渡ししようとした。『純粋理性批判』では「理性は改めて最も難しい課題、すなわち己を知るという課題に取り組むべきである」と主張した。[8] 理性の限界を知るために、理性を働かせるべきである、と。

カントの説明では、人間の理性には現実を深く知る能力があるが、常に不完全なレンズを通して現実を見ることになる。人間の認知や経験は、たとえ「純粋に」合理的思考をしているときですら、知識を整理し、構成し、ゆがめる。厳密な意味での客観的現実、カントの言う「物自体（ヌーメノン）」は常に存在しているが、本来、私たちは直接的に知りえないものだ。ヌーメノンの世界、すなわち「純粋知性から見た世界」は、人間の思考を通じた経験やフィルターとは独立して存在している、とカントは考えていた。人間の知性は概念的思考と経験に依拠しているため、物事の本質を知りうるほど純度の高い知性に決して到達できない。[9] できるのはせいぜい、自らの知性はヌーメノンの世界をどのように映しているのだろうか、と考えることくらいだ。その世界を子細に思い描くことはできるが、それは本物の知識ではない。[10]

カントが示した「物自体」と「人間の経験というフィルターを通した世界」の区別は、その後二〇〇年はあまり重要な意味を持たなかった。人間の知性が映し出すのは現実の不完全な姿かもしれないが、それ以外の選択肢はなかったからだ。

人間の知性の構造によって見えなくなっているものは、おそらく永遠に見えないはずだった。あるいは信仰や神を意識させる効果があるはずだった。現実を知るための他のメカニズムが存在しない以上、人間の死角は暴かれない。人間の認知や理性が物事の絶対的基準になるべきか否かはともかく、それに代わる選択肢がなかったために、しばらくはそうした状態が続いた。

だがいまやＡＩが、現実を認識・理解するための代替的手段になりつつある。

カント以降の数世代にわたり、「物自体」を理解する試みは、㈠かつてないほど現実を子細に観察する、㈡かつてないほど広範な知識の目録をつくる、という二つの形態をとった。理性を活用することで理解できる、発見・整理・記録できる新たな分野がたくさんあった。そのような包括的目録を作成することで、当時の最も差し迫った科学的、経済的、社会的、政治的問題を解くための教訓や原則が発見されるのではないか、という期待もあった。

最も包括的な取り組みといえるのが、フランスの哲学者ドゥニ・ディドロが編纂した『百科全書』だ。全二八巻（このうち一七巻は論文、一一巻は図表）、七万五〇〇〇項目、一万八〇〇〇ページから成る『百科全書』は、数えきれない分野の偉大な思想家の発見や観察結果を集め、その発見や結論をまとめ、そこから導き出された事実や原理を結びつけていた。現実世界のあらゆる現象を単一の本にまとめること自体が特筆すべき行為との考えから、『百科全書』には「百科事典」という自己紹介的な項目も設けられていた。
一方、政治の世界で活動する思想家たちは（さまざまな国家の利益を背負っていることもあり）、哲学者のように一枚岩ではなかった。プロイセンのフリードリッヒ大王は啓蒙主義時代初期の典型的政治家で、百科全書派のヴォルテールとも親交があったが、軍隊を完璧に鍛え、プロイセンの国家利益に沿うというだけの理由で何の警告も正当な根拠もなくシレジア地方を併合した。

フリードリッヒ大王の台頭は七年戦争を引き起こした。世界三大陸に戦闘が広がったという意味では、これが最初の世界大戦だったといえる。同じように当時最も「理性的」な政治運動の一つと称賛されたフランス革命は、ヨーロッパで数百年ぶりの社会的および政治的大混乱を引き起こした。

啓蒙主義は理性を伝統から切り離すことで、新しい状況を引き起こした。理性と武力と大衆の情熱が混じり合い、「科学的に」正しい歴史の方向性を示そうと社会構造を破壊し、再構築したのだ。近代の科学的方法によって実現したイノベーションは兵器の破壊力を高め、全面戦争（社会全体を動員し、産業力を武器に敵を破壊する紛争）の時代をもたらした。[11]

啓蒙主義は自らの課題を定義し、解決するために、理性を活用した。カントは『永遠の平和のために』と題したエッセイで、独立国家同士の関係性に合意されたルールを適用することで、平和が実現する可能性があると（多少懐疑的ではありながらも）指摘している。ルールがまだ確立していなかったため（少なくとも各国の君主が理解し、順守できるようなかたちでは）、カントは「永遠の平和のための秘訣」として「戦争のために武装した国家は、哲学者の箴言を参考にすること」と述べている。[12] 以来、理性的な対話とルールに基づく国際秩序というビジョンは哲学者や政治科学者を魅了してきたが、持続的成功を収めることはなかった。

近代化のもたらす政治的・社会的混乱に心を痛めた思想家たちは、人間が現実を理解するための唯一の手段は理性なのか、疑問を抱くようになった。一八世紀末から一九世紀初頭にかけて啓蒙主義への反動として生まれたロマン主義は、感情や想像力を理性への真の対抗勢力と位置づけた。民間伝承や自然の経験を見直し、さらには機械論的確実性に満ちた近代よりも中世期を再評価した。

一方、理性は高度な理論物理学の姿を借りて、カントの言う「物自体」に一段と近づいた。それは科学的にも哲学的にも大きな揺らぎを引き起こした。一九世紀末から二〇世紀初頭にかけて物理学の最先端では、誰も予想もしなかったような現実の側面が次々と明らかになった。

啓蒙時代初期に土台が築かれた古典物理学では、世界を空間、時間、物質、エネルギーによって説明しており、それぞれの性質は絶対的で一貫性のあるものだった。だが光の性質を解明しようとした科学者たちは、従来の理論では説明できないような結果に直面した。量子力学の先駆的研究や、特殊相対性理論と一般相対性理論を通じて、こうした謎の多くを解明したのは伝説的な理論物理学者、アルバート・アインシュタインだ。ただその過程で明らかになった物理的現実は、新たな矛盾をはらんでいた。空間と時間は時空として一つにまとまっており、そこにおける個人の認知は古典物理学の法則に縛られていないようだった[13]。

この物理的現実の下部構造を説明する量子力学を打ち立てようとするなかで、ヴェルナー・ハイゼンベルクとニールス・ボーアは知識の性質についての伝統的前提に異を唱えた。ハイゼンベルクは粒子の位置と運動量を正確かつ同時に確定することはできないと強調した。この「不確定性原理」(と後年呼ばれるようになった)は、ある時点で完全に正確な現実というものはありえないことを示唆していた。さらに物理的現実に独立した本来の姿はなく、それは観察というプロセスのなかで「生み出される」ものだと主張した。「粒子の古典的『経路』の出現は簡潔に説明できる。(中略)**『経路』は私たちが観察するからこそ生まれるのだ**[14]」。

現実に唯一無二の客観的な真の姿があるのか、そして人間の知性はそれを知ることができるのか。この問いはプラトン以来の哲学者を悩ませてきた。ハイゼンベルクは一九五八年の著書『現代物理学の思想』などで、哲学と物理学の相互作用、そして科学がようやく明らかにしはじめた謎を探求した。

一方、ボーアもその先駆的研究のなかで、観察が現実に影響と秩序を与えると主張した。長らく現実を測定するための客観的、中立的道具と考えられてきた科学機器そのものも、観察対象との物理的相互作用を完全に回避することはできない。ごくわずかであっても、その相互作用は研究対象である現象の一部となり、その姿を写し取ろうとする試みをゆがめてしまう。人間の知性は、ある時点の現実を構成する多くの相互補完的側面のうちどれを正確に知りたいか、選択を迫られる。たとえ客観的現実の完全な姿というものが存在するとしても、それは現象の相互補完的ないくつもの側面の印象を統合し、それぞれが内包するゆがみを考慮することで初めて可能になる。

このような革新的発想によって、人間はカントとその信奉者らが考えていたよりもはるかに深く、物事の本質に迫ることができた。私たちは今、ＡＩによって認識や理解の新たな次元に足を踏み入れようとしている。科学者はＡＩを活用することで、現象を測定・認識するうえでの人間の観察者の弱点を補うことができるかもしれない。あるいは補完的な複数のデータセットを処理し、そのなかからパターンを見いだすことで、人間（そして従来型機械）の能力不足を補うことができるかもしれない。

最先端の科学との衝突、そして第一次世界大戦によって動揺した二〇世紀の哲学世界は、啓蒙主義時代の伝統的理性と決別し、人間の認識の曖昧さと相対性を受け入れるという新たな道を歩みはじめた。

オーストリアの哲学者、ルートヴィヒ・ウィトゲンシュタインは一時期学術界を去り、庭師として、その後は村の学校教師として生計を立てていた。ウィトゲンシュタインはプラトン以降の哲学者らが追求してきた目標である、理性によって識別できる唯一無二の物事の本質という概念を捨て去った。そして知識とは、さまざまな現象の共通性を一般化することによって見つかるものだと主張し、それを「家族的類似性」と呼んだ。「分析の結果見えてくるのは、重なり合い交差し合う複雑なネットワークだ。全体的類似性もあれば、細部の類似性もある」。あらゆる事物にはくっきりとした輪郭があるという前提に立ち、それを定義し、整理しようとする試みは誤りである、とウィトゲンシュタインは考えた。そうではなく「これと類似したもの」を探し、定義することで、その結果として生まれる概念がたとえ「ぼやけた」「不明瞭な」境界しかないものであっても「熟知性」を感じるべきだという。[15]

その後二〇世紀末から二一世紀初頭にかけて、この思想はＡＩと機械学習の理論的土台となった。

ＡＩや機械学習の理論では、ＡＩの可能性は大規模なデータセットをスキャンして類型やパターンを学習し（よく一緒に使われる言葉の集合、あるいはネコの画像によく出てくる特徴など）、既知の事柄との共通性や類似性のネットワークを特定することで現実を理解する能力にある、とされる。ＡＩに人間の知能と同じような方法で何かを理解することはできなくても、現実のパターンとの一致を積み重ねていくことで、人間の認知や理性を模倣し、ときにはそれを上回るパフォーマンスを発揮できるかもしれない。

啓蒙主義とは人間の論理能力の限界を認めつつ、理性の可能性を信じる姿勢であり、それが長らく私たちの世界を支配してきた。科学革命によって特に二〇世紀には技術と哲学が発展したが、人間の知性によって理解可能な世界が一歩ずつ解明されていくという啓蒙主義の中核的前提は揺るがなかった。少なくともこれまでは。

三世紀にわたる発見と探求の時代には、人間はカントの予想したとおり、自らの知性の構造に従って世界を解釈してきた。だが自らの認知能力の限界に近づくなかで、人間は機械（コンピューター）を使って思考を拡張し、限界を突破しようとするようになった。コンピューターは人間が生きてきた物理的領域に、新たにデジタルな領域を追加した。デジタル・オーグメンテーション（コンピューターを使った拡張）への依存が強まるなか、人間の合理的知性が現実の現象の唯一の発見者にして理解者、記録者でもある、という誇り高き地位を手放す、新たな時代が始まろうとしている。

理性の時代の技術的成果は重要なものだったが、最近までは散発的にしか起こらず、伝統とも容易に折り合いをつけられた。イノベーションは従来の方法の延長としてとらえられた。映画は動く写真、電話は空間を超えた会話、自動車は猛烈なスピードで走る馬車、といった具合に（馬がエンジンに代わっただけで、性能も「馬力」で表現されていた）。同じように軍事の世界でも、戦車は騎兵が、戦闘機は大砲が高度化したもので、戦艦は動く要塞、空母は可動式の滑走路だ。核兵器さえも「兵器」という言葉にとらわれ、各国は戦争に対する従来の経験や理解に基づいて「砲兵隊」にその扱いを任せた。

だが私たちはすでに転換点に達した。イノベーションのなかには、既知の何かの延長としてとらえられないものも出てきている。デジタル革命とＡＩの進歩は、テクノロジーが私たちの日常を変えてしまうまでの時間枠を圧縮し、単に従来版より強力あるいは効率的というだけではない、まったく新しい現象を生み出している。

コンピューターの高速化、小型化が進んだことで、携帯電話、腕時計、水道や電気システム、家電、セキュリティーシステム、乗り物、武器、そして人体にまで埋め込むことができるようになった。デジタルシステムにまたがる、あるいはデジタルシステム同士のコミュニケーションはいまやほぼリアルタイムになった。ひと世代前には人間が行っていた作業（読書、リサーチ、買い物、議論、記録、監視、軍事上の計画立案と実施）は、いまやデジタル化され、データ・ドリブンになり、サイバースペースという単一の空間で行われている。[16]

デジタル化はありとあらゆる人間の組織に影響を与えてきた。コンピューターや電話を使って、個人はかつてないほど大量の情報を入手（あるいは少なくともアクセス）できるようになった。ユーザーデータの収集やアグリゲーション（とりまとめ）を担うようになった民間企業は、いまや大方の国家よりも大きな権力や影響力を手に入れた。サイバースペースがライバルの手に落ちることを恐れる各国政府はサイバースペースに参入、探索、活用しはじめた。そこには守るべきルールも制約もほとんどない。サイバースペースはライバルに勝つために自ら変革すべき領域である、という決断が早々に下された。

このデジタル革命を通じて実際に何が起きたのか、完全に理解している者はほとんどいない。原因はスピードと情報の氾濫にある。

デジタル化はすばらしい成果をもたらす一方、人間の思考から文脈と概念を奪った。デジタルネイティブ世代は、人類史の大部分を通じて集団的記憶の制約を補ってきた概念を生み出す必要性を（切実には）感じていない。些末なこと、概念的なこと、あるいはその中間にあるものなど、知りたいことがあれば何でも検索エンジンに聞けばいい（現にそうしている）。検索エンジンはAIを使ってそうしたクエリーに答える。このプロセスを通じて、人間は思考の一部をテクノロジーに委ねている。ただ情報は自明なものではなく、文脈に依存する。文化や歴史の観点から理解されたとき、初めて情報は役に立つ（少なくとも意味を持つ）。

情報は文脈を持ったとき、初めて知識となる。知識は確信に裏づけられたとき、初めて知恵となる。しかしインターネットには何千人、何百万人という他者の意見が氾濫し、人々はかつてのように孤独のなかでじっくり内省し、確信を育む機会を奪われている。孤独が失われると、それにともなって芯の強さも失われる。自らのなかに確信を育む強さだけでなく、自らの確信に忠実である強さだ。とりわけまったく新しい、孤独な道を歩むとき、こうした強さが必要になる。確信と知恵が組み合わさったとき、人は新たな地平に踏み出し、開拓していける。

デジタル世界には知恵の入り込む余地がない。そこでの価値は内省ではなく、他者の承認から生まれる。デジタル世界は、人間意識の働きのなかで最も重要な要素は理性であるという啓蒙主義の前提に疑問符を付ける。かつて人間の行動に課せられていた距離、時間、言語という制約が無効になったデジタル世界では、つながっていること自体に意味があると考える。

インターネット上で情報の爆発的増加が起こるなか、人間はソフトウエア・プログラムに情報を仕分け、整え、パターンに基づいて評価し、さらには自分たちの疑問に答えることを求めるようになった。入力している文章を完成させる、探している本や店を見つける、そして私たちの過去の行動に基づいて気に入りそうな記事やエンターテインメントを「直感的に選ぶ」といった作業へのＡＩの採用は、革命的というよりもう当たり前のことに思える。

だがＡＩは生活のさまざまな領域に浸透していくなかで、私たちの選択や行動を形づくり、秩序を与え、評価し、それを通じて人間の知性が伝統的に果たしてきた役割を変えようとしている。

1　Edward Gibbon, *The Decline and Fall of the Roman Empire* (New York: Everyman's Library, 1993), 1:35.（『ローマ帝国衰亡史：新訳』エドワード・ギボン著、中倉玄喜編訳、ＰＨＰ研究所、二〇二〇年）

2　これが衝撃を持って受け止められたのは西洋だけである。他の文明では統治と国政術の分野で数千年にわたり、国益やその追求についてこのような問題が研究されていた。中国で孫子の『兵法』がまとめられたのは紀元前五世紀、インドの『アルタシャーストラ』もほぼ同時期と見られる。

3 20世紀初頭のドイツの哲学者、オスヴァルト・シュペングラーは西洋の現実経験を「ファウスト的」社会と呼び、その特徴を広がりのある視野と無限の知識への衝動と定義した。主著のタイトル『西洋の没落』が示すように、シュペングラーはこの文化的衝動には（どんな文化的衝動も同じだが）限界があり、このケースでは歴史の循環によって定義されると主張した。

4 Ernst Cassirer, *The Philosophy of the Enlightenment,* trans. Fritz C.A.Koelln and James P. Pettegrove (Princeton, NJ: Princeton University Press, 1951), 14.

5 東洋の伝統哲学は別のルートから、はるか以前に同じような洞察を導き出していた。仏教、ヒンズー教、道教はいずれも人間の現実経験は主観的かつ相対的なものであり、それゆえに人間の目に見えるものだけが現実ではないと説く。

6 Baruch Spinoza, *Ethics,* trans. R. H. M. Elwes, book V, prop. XXXI– XXXIII, https://www.gutenberg.org/files/3800/3800-h/3800-h.htm#chap05.

7 歴史の変遷によりケーニヒスベルクはその後ロシアの都市カリーニングラードとなった。

8 Immanuel Kant, *Critique of Pure Reason,* trans. Paul Guyer and Allen W. Wood, Cambridge Edition of the Works of Immanuel Kant (Cambridge, UK: Cambridge University Press, 1998), 101.（『純粋理性批判』カント著、中山元訳、光文社、二〇一〇年）

9 Paul Guyer and Allen W. Wood, introduction to Kant, *Critique of Pure Reason,* 12.

10 カントは神的なものを「信仰の対象」として、潔く人間の理論的理性の域を超えるものと位置づけた。

11 Charles Hill, *Grand Strategies: Literature, Statecraft, and World Order* (New Haven, CT: Yale University Press, 2011), 177 - 185.

12 Immanuel Kant, “Perpetual Peace: A Philosophical Sketch,” in *Political Writings,* ed. Hans Reiss, trans. H. B. Nisbet, 2nd, enlarged ed., Cambridge Texts in the History of Political Thought (Cambridge, UK: Cambridge University Press, 1991), 114 - 115.

13 Michael Guillen, *Five Equations That Changed the World: The Power and the Poetry of Mathematics* (New

York: Hyperion, 1995), 231 - 254.

14 Werner Heisenberg, "Ueber den anschaulichen Inhalt der quantentheoretischen Kinematik und Mechanik," *Zeitschrift fur Physik*, as quoted in the *Stanford Encyclopedia of Philosophy*, "The Uncertainty Principle," https://plato.stanford.edu/entries/qt-uncertainty/

15 Ludwig Wittgenstein, *Philosophical Investigations*, trans. G. E. M. Anscombe (Oxford, UK: Basil Blackwell, 1958), 32 - 34.

16 Eric Schmidt and Jared Cohen, *The New Digital Age: Reshaping the Future of People, Nations, and Business* (New York: Alfred A. Knopf, 2013)（『第五の権力：Googleには見えている未来』エリック・シュミット、ジャレッド・コーエン著、櫻井祐子訳、ダイヤモンド社、二〇一四年）.

第三章 チューリングから現在、そして未来へ

一九四三年に初の近代的（電子的、デジタル、プログラム可能）なコンピューターが誕生したことで、人類を魅了してやまないいくつかの問いが一段と切実なものとなった。機械は思考できるのか、機械に知性はあるのか、知性を持つことはできるのか。知性の本質をめぐっては長年相矛盾する立場があり、こうした問いに答えるのは容易ではなかった。

一九五〇年に一つの解を示したのが、数学者で暗号解読者のアラン・チューリングだ。『計算する機械と知性』という地味なタイトルの論文で、チューリングは機械の知性という問題はひとまず脇に置いておこうと説いた。重要なのは知性のメカニズムではなく「結果」である、と。他の生物の内部で何が起きているかを推し量ることはできないので、知性を測る唯一の尺度は外的行動である、と主張した。

こうした考えの下、チューリングは数世紀にわたって知の本質とされてきた議論を回避した。代わりに提唱したのが「模倣ゲーム」だ。観察者から見て機械の行動が人間のそれと区別できないものであれば、その機械には知性があるという考え方だ。

こうして「チューリングテスト」が誕生した。[1]

チューリングテストを額面どおりに受け止め、この基準を満たすのは人間として通用するようなロボットである（そのようなものが登場するか疑問だが）と考えた人は多い。ただ実際にこのテストが有効だったのは、ゲームのような、明確に定義され、範囲の限定された活動での「インテリジェントな」機械の性能を測ることにおいてだ。人間と見分けのつかない機械ではなく、人間もどきの動きをする機械の測定に使われた。

そこで注目するのはプロセス（手順）ではなく、パフォーマンス（成果）だ。GPT－3のような文章生成プログラムがAIと呼ばれるのは、モデルの仕様（GPT－3のケースではネット上の膨大な情報を使って訓練されたという事実）とは関係なく、人間が書くのと同じような文章を生み出すからだ。

一九五六年にはコンピューター科学者のジョン・マッカーシーがさらに踏み込み、人工知能を「人間の知能に特徴的なタスクを行うことのできる機械」と定義した。その後AIの評価ではチューリングとマッカーシーの考え方が基準となり、評価軸は哲学的、認知的、あるいは神経科学的側面ではなく、パフォーマンス（知能を感じさせる行動）へと移った。

この半世紀、そうした知能を持った機械は現れず、開発は行き詰まったかに見えた。コンピューターは数十年にわたって厳密に定義されたコードに基づいて動いていたため、コンピューターの生み出す分析も同じように硬直的で静的という限界があった。伝統的プログラムは膨大なデータを整理し、複雑な計算を実行することはできたが、ごく単純な物の画像さえ識別できず、曖昧なインプットに適応することもできなかった。曖昧で概念的という人間の思考の性質が、ＡＩの開発における超えられない壁になっていた。しかしここ一〇年、コンピューティングにおけるイノベーションによって、こうした分野でも人間のパフォーマンスと同等あるいはそれを上回るようなＡＩが登場した。

ＡＩは曖昧で、動的で、創発的（エマージェント）で、「学習」能力がある。データを取り入れ、それからそのデータに基づいて観察結果や結論を引き出すことで「学習」する。過去のシステムが正確なインプットとアウトプットを必要としていたのに対し、曖昧な機能を持つＡＩはいずれも必要としない。文章を翻訳するときは、個々の単語を交換するのではなく、慣用句や慣用表現を特定し、活用することによって訳していく。ＡＩが動的とみなされるのは環境変化に対応して進化するためであり、創発的といわれるのは人間が考えつかなかったような解決策を見つけるからだ。機械の世界において、この四つの性質を持つというのは革命的だ。

たとえばチェスの世界にアルファゼロがもたらしたブレークスルーを考えてみよう。伝統的なチェスプログラムには人間の専門知識や戦術がコードとして組み込まれており、それらに依拠していた。しかしアルファゼロは自らと何百万回も対戦し、それを通じて自力でパターンを発見することでスキルを身につけた。

このような「学習」方法の土台はアルゴリズム、すなわちインプット（ゲームのルールと、ルールの下での打ち手の良しあし）を反復可能なアウトプット（ゲームに勝利すること）に変換するための一連の手順だ。ただ機械学習のアルゴリズムは、正確性と予測可能性を特徴とする古典的アルゴリズム（長除法のような計算用に使われるアルゴリズムなど）とはまるで違う。古典的アルゴリズムが正確な結果を導き出す手順で構成されているのに対し、機械学習のアルゴリズムは、曖昧な結果を改善するための手順でできている。

航空分野の例も見てみよう。まもなくＡＩがさまざまな航空機の操縦を単独で、あるいは共同で担うようになる。アメリカ国防高等研究計画局（ＤＡＲＰＡ）のプログラム「アルファ・ドッグファイト」では、戦闘シミュレーションでＡＩ戦闘機パイロットが人間のライバルの能力の限界を超えるパフォーマンスを見せた。操縦するのが戦闘機か食品宅配用ドローンかにかかわらず、ＡＩが軍用機と民間機の未来に大きな影響を及ぼすのは確実だ。

私たちが目の当たりにしてきたのはイノベーションのほんのさわりにすぎないが、それはすでに人間の経験の構造を微妙に変化させつつある。今後数十年で、その傾向は一段と加速するだろう。

ＡＩトランスフォーメーションの推進力となる技術的概念は重要だが複雑なので、本章ではさまざまな機械学習の歴史と現状、およびその用途について詳しく見ていく。機械学習はきわめて強力である一方、本質的制約を抱えている。それがすでに引き起こした、また今後引き起こすであろう社会的、文化的、政治的変化を理解するには、構造、能力、そして限界を理解することが不可欠だ。

AIの進化

人類は常に助っ人を求めていた。人間と同等の能力を持ち、仕事を助けてくれる機械だ。

ギリシャ神話では、神界の鍛冶屋であるヘパイストスが人間と同じ仕事のできるロボットを造る。たとえばクレタ島の海岸をパトロールし、敵の侵略から守ってくれるブロンズの巨人タロスだ。一七世紀にフランスを治めたルイ一四世や一八世紀のプロイセンのフリードリッヒ大王は、機械仕掛けのロボットに憧れ、プロトタイプの製作を指揮した。だが現実には、機械を設計して有益な活動を任せるのは、近代的コンピューティングをもってしても恐ろしく困難だった。とりわけ大きな問題だったのは、機械に何を、どのように教えるかだ。

実用的なＡＩを開発しようとする初期の試みは、人間の専門知識（ルールや事実を集めたもの）をコンピューター・システムにコード化しようとするものだった。しかし世界の大部分はわかりやすく整理されていないし、シンプルなルールや象徴で表現することはできない。チェス、代数操作、ビジネスプロセス・オートメーションといった正確な特性評価がされている分野ではＡＩは大きく進歩したものの、言語翻訳、視覚的な物体認識といった本来曖昧な他の分野では進歩は止まってしまった。

初期のプログラムの弱点は、視覚的物体認識がうまくいかなかったという事実に端的に表れている。人間の場合、幼い子供でも画像を認識できる。しかし初期のＡＩにはそれができなかった。

プログラマーは当初、オブジェクト（対象物）の特徴を抽出して象徴的に表現しようとした。たとえばＡＩにネコの画像を認識できるようにするため、開発者はネコという概念のさまざまな属性（ヒゲ、とがった耳、四本足、胴体など）を抽象的に表現した。だがネコはおよそ静的な物体ではなく、丸まって眠ったり、走ったり、伸びをしたり、また色や大きさもバラバラだ。結局、抽象的モデルを作成し、それを多種多様なインプットと合致させる試みはまるでうまくいかなかった。

このような形式的で柔軟性に欠けるシステムは、明確なルールをコード化することでタスクを実行できる領域でしか成果をあげられず、一九八〇年代末から一九九〇年代にかけてＡＩは「冬の時代」を迎えた。より動的なタスクではＡＩのパフォーマンスは不安定で、チューリングテストに合格できるような結果は出せなかった。つまり人間と同等の成果を出したり、人間のパフォーマンスを模倣したりすることはできなかったのだ。ＡＩの応用分野は限られていたため、研究開発費は減少し、進歩は鈍化した。

だが一九九〇年代に入ると、ブレークスルーが起きた。ＡＩの本質的役割はタスクを実行すること、すなわち複雑な問題に対して効果的な解決策を編み出し、実行する能力を持った機械を生み出すことだ。研究者たちは、機械が自ら学習するという新たなアプローチが必要であることに気づいた。要するに発想の転換が起きたのだ。人間が抽出した知識を機械に注ぎ込もうとするのをやめ、学習プロセスそのものを機械に委ねることにしたのだ。

一九九〇年代には反骨精神旺盛な研究者らが初期の前提の多くを捨て去り、機械学習に焦点を移した。機械学習の誕生は一九五〇年代にさかのぼるが、新たな進歩によって実用化への道が拓けた。最も成果があがったのが、ニューラルネットワークを使って大規模なデータセットからパターンを抽出するという方法だ。

哲学的な表現をすれば、ＡＩの先駆者たちは、世界を機械的ルールに還元するという初期の啓蒙主義の発想から、現実に近似した状況を作り出すことへと力点を変えたのだ。機械がネコの画像を特定するためには、さまざまな状況におけるネコを観察することを通じて、ネコの視覚的イメージを幅広く「学習する」必要があると気づいたのだ。

機械学習を実現するうえで重要なのは、対象物の理想像ではなく、さまざまな像の共通点だ。哲学的にいえば、プラトンではなくウィトゲンシュタイン的視点だ。こうして現代の機械学習、すなわち経験を通じて学習するプログラムという新たな領域が誕生した。

現代のAI

その後、目覚ましい進歩があった。二〇〇〇年代に視覚物体認知の分野では、さまざまな画像（対象物を含む画像と含まない画像）から学習して物体の近似値を示すAIが開発され、かつてのコードに基づくプログラムよりはるかに効果的に物体を認識できるようになった。

ハリシンの発見に使われたAIは、機械学習の重要性を示す格好の例だ。MITの研究者は、分子の抗細菌性を予測する機械学習アルゴリズムを設計するため、二〇〇〇以上の分子を含むデータセットを使って訓練した。その結果、従来のアルゴリズムでは（そしてもちろん人間では）不可能だった成果が得られた。AIが明らかにした化合物の特性とその抗細菌性の関連性は、人間には理解できなかった。だがそれ以上に重要なのは、化合物の特性そのものに規則性が見当たらなかったことだ。土台となるデータに基づいてモデルを改善していく機械学習アルゴリズムは、人間の目には入らない関係性を認識することができた。

すでに述べたとおり、このようなＡＩには曖昧さがある。つまり何らかの関係性を見つけるために、あらかじめ特性と効果を定義しておく必要がない。たとえば膨大な候補のなかから、最も有望なものを選別することができる。この能力が現代のＡＩの最も重要な特徴の一つだ。機械学習を使って現実世界からのフィードバックに基づいてモデルを生成・修正することで、現代のＡＩはおおよその結果を導き出し、曖昧さを分析することができる。従来のアルゴリズムだったら行き詰まっていたはずだ。機械学習のアルゴリズムも従来のアルゴリズムと同じように一連の明確な手順で構成されている。ただ後者と違って、特定の結果を生み出すことはない。代わりに現代のＡＩアルゴリズムは複数の結果の質を評価し、改善する方法を示す。結果を直接示すのではなく、学習できるようにするのだ。

このような進歩の大きな推進力となっているのが、人間の脳の構造に着想を得た（ただし人間の脳はあまりに複雑なので、そっくり模倣したわけではない）「ニューラルネットワーク」だ。一九五八年、コーネル大学航空研究所の研究員だったフランク・ローゼンブラットがこんなアイデアを思いついた。人間の脳はおよそ一〇〇〇億個のニューロンを数千兆個のシナプス（神経細胞の接合部）で結びつけることによって情報をコード化する。科学者もそれと同じような方法で情報をコード化できないか、と。

ローゼンブラットは挑戦してみることにした。ノード（ニューロンに相当）と数値的重み（シナプスに相当）の関係性をコード化した人工的ニューラルネットワークを設計したのだ。これはノード（およびノード間のつながり）の構造を使って情報をコード化したという意味でネットワークであり、重みはノード同士のつながりの強さを表していた。

その後、数十年は計算能力と高度なアルゴリズムが不足していたために、原始的なニューラルネットワークしか開発されなかった。だが両分野の進歩によって、ＡＩの開発者はいまやこうした制約から解放された。

ハリシンの開発では、ニューラルネットワークは分子（インプット）同士の関係性と、それが細菌の成長を阻害する可能性（アウトプット）を表していた。ハリシンを発見したＡＩは、化学プロセスや薬効に関する情報など一切なしに、深層学習を通じてインプットとアウトプットの関係を発見することでそれを成し遂げた。ニューラルネットワークを構成する層のうち、インプットにより近いものはインプットの特性を、またインプットから遠い層ほど望ましいアウトプットにつながる一般的属性を反映する傾向があった。

ニューラルネットワークは深層学習を通じて、複雑な関係性をとらえることができる。たとえば抗菌作用の高さと、訓練データに含まれていた分子構造の特徴（原子量、化学組成、結合の種類など）の関係などだ。この関係性の網の目から、ＡＩは人間にはとらえられないものも含めた複雑なつながりをすくいとる。

ＡＩは訓練段階で新たなデータを受け取ると、ネットワーク全体の重みを調整する。このためネットワークの正確性は、訓練に使われるデータの量と質によって決まる。ネットワークがより多くのデータを受け取り、より多くの層で構成されているほど、重みは関係性をより正確にとらえるようになる。今日のディープニューラルネットワークは通常、一〇層ほどで構成されている。

しかしニューラルネットワークは資源集約的だ。大量のデータを分析し、修正するプロセスには相当な計算能力と複雑なアルゴリズムが必要となる。人間と異なり、ＡＩは訓練とタスクの実行を同時にはできない。「訓練」と「推論」という二つのステップに分けて行う。訓練段階では、ＡＩの品質測定と改善のアルゴリズムが、質の高い結果を入手するための自らのモデルを評価し、修正していく。

ハリシンのケースでいえば、ＡＩが訓練用のデータをもとに、分子構造と抗細菌効果の関係を特定している段階だ。それに続く推論段階では、研究者がＡＩに、訓練したばかりのモデルを使って抗細菌効果が高そうな抗生物質を探すというタスクを与える。ＡＩは人間のように論理的思考によって結論を導き出したのではなく、自ら開発したモデルを当てはめたのだ。

タスクが違えば学習スタイルも違う

ＡＩのアプリケーションは、どのようなタスクを担うかによって変わる。当然、開発者がＡＩを開発する方法も変わるはずだ。ここに機械学習を使う難しさがある。異なる目標や役割には、異なる訓練方法が求められる。ただ、異なる機械学習の方法、具体的にはニューラルネットワークの使い方を組み合わせることで、がんを見つけるためのＡＩなど新たな可能性が生まれるのも事実だ。

本書執筆時点で、注目すべき機械学習の方法は三つある。「教師あり学習」「教師なし学習」そして「強化学習」だ。ハリシンを発見したＡＩは、教師あり学習から生まれた。おさらいすると、新たな抗生物質の候補を見つけたいと考えたＭＩＴの研究者らは二〇〇〇種類の分子を含むデータベースを使い、分子構造をインプット、抗生物質の有効性をアウトプットとするモデルを訓練した。研究者はＡＩに、抗生物質としての有効性に応じてラベルを付けた分子構造のデータを与えた。次に新たな化合物のデータを与え、有効性を評価させた。

この方法が「教師あり学習」と呼ばれるのは、開発者が望ましいアウトプットや結果（このケースでは抗生物質としての有効性）に応じて、個別にラベル付けしたインプット

(このケースでは分子構造)を含むデータセットを使うからだ。

教師あり学習はさまざまな用途に使われてきた。一例が画像認識用AIで、あらかじめラベル付けされた画像を使い、画像を適切なラベルと関連づけする訓練をする(ネコの画像を「ネコ」というラベルと一致させるなど)。画像とラベルとの関係性をコード化することで、その後は新たな画像を正確に認識できるようになる。このように個々のインプットと望ましいアウトプットが組み合わさったデータセットを用意できる場合には、教師あり学習は新たなインプットに対してアウトプットを予測するモデルを開発するきわめて効果的な方法であることが証明されてきた。

一方、開発者が手にしているのが膨大なデータだけという場合、「教師なし学習」によって有益な結果を得られることもある。

インターネットと情報のデジタル化のおかげで、企業、政府、研究者は膨大なデータに、これまでよりずっと簡単にアクセスできるようになった。マーケティング担当者にはより多くの顧客情報が、生物学者にはより多くのDNAデータが、そして銀行のファイルにはより多くの金融取引データがある。マーケティング担当者が顧客データベースを確認したいとき、あるいは不正捜査員がさまざまな取引の矛盾を発見したいと思ったとき、AIに結果に関する情報をまったく与えなくても、教師なし学習によってパターンや異常値を発見することができる。

教師なし学習の訓練用データには、インプットしか含まれていない。プログラマーは学習アルゴリズムに、類似性の度合いを測定するため、指定された重みに基づいてグループ分けするという課題を与える。たとえばネットフリックスのような動画ストリーミングサービスはアルゴリズムを使い、同じような視聴習慣を持つ顧客のクラスタを識別し、新たな動画を推奨している。ただこのようなアルゴリズムの精度を高めるのは難しい。ほとんどの人には複数の関心分野があり、通常は複数のクラスタに分類されるからだ。

教師なし学習で訓練されたＡＩは、パターンがあまりにもわかりにくいため、データ量があまりにも膨大であるため、あるいはその両方が原因で、人間なら見逃してしまう可能性のあるパターンを識別できるようになる。何が「適切な」結果なのか指示されずに訓練を積むので、人間の独習者が往々にしてそうであるように、驚くほど斬新な結果を生み出すこともある。その一方で、人間の独習者もこのようなＡＩも、とっぴで意味不明な結果を出すこともある。

教師あり学習、教師なし学習のどちらにおいても、ＡＩは主にデータを使ってトレンドの発見、画像の識別、予測といったタスクを遂行する。それに対してデータを分析するだけでなく、ダイナミックな環境で動作できるＡＩを開発しようという思いから生み出されたのが、機械学習の主なカテゴリーの三つ目、「強化学習」だ。

強化学習におけるＡＩは、与えられたデータの関係性を識別するだけのパッシブ（受動的）な存在ではない。むしろコントロールされた環境において「エージェント（行為主体）」として、自らの行為への反応を観察し、記録する。ここでいう環境とは一般的に、現実世界から複雑性を取り除いた、単純化されたシミュレート版の現実だ。たとえば混雑した街中のカオス状態より、組み立てラインにおけるロボットの動作を正確にシミュレートするほうが簡単だ。ただ、チェスの試合のように単純化されたシミュレート版の世界であっても、たった一つの手がトリガーとなり、さまざまな機会やリスクがカスケード状に出現する。このためＡＩに人工的環境で自ら訓練させるだけでは最高のパフォーマンスを引き出すことはできない。必要なのはフィードバックだ。

このフィードバックを与えるのが、ＡＩに特定のアプローチがどれほどうまくいったかを示す報酬関数だ。人間にはこの任務をきちんと果たすことは不可能だ。デジタルプロセッサを使ったＡＩは、数時間あるいは数日のあいだに何百回、何千回、あるいは何十億回もの訓練を繰り返す。それに人間が直接フィードバックを返すのは、およそ現実的ではない。

そこでプログラマーは報酬関数を自動化する。関数がどのように動作するか、またそれが現実をどのようにシミュレートするかを慎重かつ精緻に指定するのだ。シミュレーターが現実に即した経験を提供し、報酬関数が効果的な意思決定を促すようにできれば理想的だ。

アルファゼロのシミュレーターはわかりやすい例だ。まず自らを対戦相手としてチェスをした。それから一つひとつの手についてどれだけの機会を生み出したかによって採点する報酬関数[2]を使い、自らのパフォーマンスを評価した。

強化学習はＡＩの訓練環境を整えるために、人間の関与を必要とする（訓練の期間中の直接的フィードバックは必要としないが）。人間がシミュレーターと報酬関数を定義し、それをもとにＡＩが独自に訓練を積む。価値ある結果を得るには、シミュレーターと報酬関数の仕様を慎重に定めることがカギとなる。

機械学習の威力

これら数少ない構成要素から、とてつもない数のアプリケーションが生まれる。

農業分野では殺虫剤の散布量の管理、作物の病気の検知、収穫量の管理などにＡＩが使われている。医療分野では新薬の発見、既存の薬の新たな用途の特定、あるいは未来の病気の探知や予測に使われている（本書執筆時点では、ＡＩはごくわずかな放射線数値の異常を探知し、人間の医師よりも早く乳がんを検知することに成功している。網膜写真の分析によって、失明の主要な原因の一つである網膜症の発見にも成功した。糖尿病患者の病歴を分析して、低血糖を予測することにも成功した。また遺伝子コードを解析して、他の遺伝性疾患も発見した)。金融では大量のデータ処理を必要とする領域、たとえば融資の承認(あるいは却下)、買収、合併、破産宣告その他の取引を支援するのにAIが使われている。

さらに他の分野に目を向ければ、AIは文字おこしや翻訳の支援に使われている。ある意味では最も魅力的な用途といえるだろう。人類は数千年にわたり、文化や言語的分断を超える意思疎通に悩まされてきた。言語の違いに起因する誤解や情報入手の難しさが、お互いの理解や通商を妨げ、戦争につながった。バベルの塔の物語では、それが人間の不完全さの象徴のように、また人間の傲慢さに対して神の与えた罰として描かれている。だがいまやAIによって、幅広い人々が優れた翻訳能力を手に入れようとしている。その結果、多くの人たちが容易に交流できるようになるかもしれない。

一九九〇年代まで、研究者はルールに基づく言語翻訳プログラムを開発しようとしていた。だが実験ではうまくいっても、現実世界では良い結果が出なかった。言語のさまざまな意味や微妙なニュアンスを、シンプルなルールに落とし込むことができなかったのだ。

二〇一五年、開発者がディープニューラルネットワークを翻訳に応用しはじめたことで、状況は一変した。機械翻訳は突如、飛躍的に進歩した。とはいえ進歩の原因は、単にニューラルネットワークあるいは機械学習を活用したことだけではない。むしろこうした方法をまったく新しい独創的なかたちで応用した結果である。

ここからある重要な点が浮かび上がる。機械学習という基本要素を使えば、開発者はすばらしいイノベーションを継続的に生み出し、その過程でまったく新しいＡＩを生み出すことができるのだ。

ある言語を別の言語に翻訳するとき、翻訳者は「連続的依存」と呼ばれる言語固有のパターンを把握する必要がある。標準的なニューラルネットワークはインプットとアウトプットの関係性のパターンを見つけることに長けている。たとえばある抗生物質と、それに固有のさまざまな化学的性質だ。しかし、何らかの工夫をしなければ連続的依存を把握することはできない。ある文章のなかで直前までの言葉に続いて特定の言葉が出てくる確率を判断することはできないのだ。具体例を挙げると、「私が散歩に連れていくのは」という書き出しの文では、次に続くのは「ネコ」や「飛行機」より「犬」である確率のほうがはるかに高い。

ネットワークにこのような連続的依存を理解させるため、開発者はインプットとしてこれから翻訳する必要のある文章に加えて、すでに翻訳された文章も与えた。こうすることでＡＩは、元の言語（起点言語）と翻訳する先の言語（目的言語）の両方の連続的依存を学習し、続く言葉を判断できるようになる。

このように開発されたネットワークのなかでも特に強力なのが「トランスフォーマー」と呼ばれるもので、文を最初から順番に処理していく必要がない。たとえばグーグルの自然言語処理技術「ＢＥＲＴ」は、検索効率を高めるように開発された双方向のトランスフォーマーだ。

それに加えて、従来型の教師あり学習からの大きな転換といえるのが、言語翻訳の研究者らが採用した「パラレルコーパス」という方法だ。訓練において、インプットとアウトプットの正確な対応関係（たとえば複数の言語で書かれた文章の意味の合致）を必要としないのだ。

従来型のアプローチでは、文章とそれを翻訳した原稿を使ってＡＩを訓練していた。二つの言語のあいだに一定の対応関係が必要とされていたためだ。だがそうすると、訓練用データの総量と入手できるデータの種類がかなり制約されてしまう。政府の文書やベストセラー本は翻訳されることが多い一方、定期刊行物、ソーシャルメディア、ウェブサイトなど非公式な文書は一般的に翻訳されないためだ。

研究者らはＡＩの訓練を入念に翻訳された文書だけに制限するのをやめ、単一のトピックについてさまざまな言語で書かれた記事などの文章を集め、細かな対応関係など気にせずにＡＩに与えた。このように大ざっぱに内容は合致しているものの、翻訳されてはいない膨大な文書を使ってＡＩを訓練するプロセスがパラレルコーパス法だ。

ある意味では語学学習で初歩的な授業を受けていたのが、いきなり完全没入型の授業に移行したようなものだ。訓練の精度は落ちるが、入手可能なデータ量ははるかに膨大になる。ニュース記事、本や映画の批評、旅行記などお堅いものから柔らかいものまで、さまざまな言語でさまざまな媒体に書かれた文章をＡＩに与えられるようになる。この方法の成功をきっかけに「半教師あり学習」はより一般的な用途に使われるようになり、近似性の高い情報から部分的に近似したものまで多様な情報が訓練に使われるようになった。

グーグル翻訳がパラレルコーパスを使って訓練したディープニューラルネットワークを取り入れたところ、性能がそれまでより六〇％改善し、その後も向上しつづけている。

自動翻訳の劇的な進歩によって、外国語をより簡単に、迅速に、安価に使いこなすことが可能になれば、ビジネス、外交、メディア、学術界など幅広い分野が一変するのは間違いない。

言うまでもなく、文章を翻訳したり画像を分類したりする能力と、新しい文章、画像、音声を生み出す能力はまったく別物だ。ここまで見てきたＡＩは解決策を「見つけること」に長けている。チェスで勝利する方法、新薬の候補、そして実用に堪えうる翻訳などだ。だが生成ニューラルネットワークはそれとは異なり、何かを「創り出す」能力がある。生成ニューラルネットワークはまず文章か画像を使って訓練する。続いて合成ではあるが、現実味のある新しい文章か画像を生み出す。具体例を挙げると、標準的なニューラルネットワークが人間の顔の写真を識別できるのに対し、「生成」ニューラルネットワークは本物のように見える人間の顔のイメージを生み出すことができる。概念的に、それまでのニューラルネットワークとは違うのだ。

こうしたいわゆる生成ネットワークを応用すると、驚くようなことが可能になる。プログラミングや執筆活動に応用できるようになれば、作者が概要を書くだけで、細部は生成ネットワークが仕上げてくれる。あるいは広告や映画の製作会社がネットワークに数枚の画像や絵コンテを与えるだけで、あとはＡＩが合成によって広告やコマーシャルを制作してくれる。懸念されるのは、生成ネットワークが誰かの発言や行動を模した本物そっくりの偽映像「ディープフェイク」の作成に悪用されることだ。生成ネットワークは情報空間を豊かにする半面、チェック機能が働かなければ現実と幻想の境界を曖昧にしてしまう可能性も高い。

生成型ＡＩの作成に使われる一般的な訓練方法は、二つのネットワークに相互補完的な学習目標を与え、競争させることだ。このようなネットワークは敵対的生成ネットワーク（ＧＡＮ）と呼ばれる。二つのうち「生成ネットワーク」の目的はアウトプットの候補を生み出すことであり、それに対して「識別ネットワーク」は質の低いアウトプットが生み出されるのを防ぐことだ。たとえるなら、生成ネットワークの役割はブレーンストーミング、識別ネットワークの役割はそこから生まれたアイデアのうちどれが妥当で現実的かを評価することだ。訓練段階では生成ネットワークと識別ネットワークを交互に訓練する。生成ネットワークを固定して識別ネットワークを訓練したら、次は攻守逆転させるといった具合に。

この方法に問題がないわけではない。ＧＡＮの訓練は難しく、質の低い結果が生み出されることも多い。しかしうまくいけば、驚くような仕事をやってのけるＡＩができあがる。ＧＡＮ方式で訓練されたＡＩとしておなじみなのが、人間が入力しているメールの文章を完成させる、あるいは検索エンジンにクエリーの一部を入力するとそれを完成させるといった機能だ。さらに驚くような例としては、ＧＡＮを使えばプログラムの概略を示すだけで、それを完成させるようなＡＩを開発できるということだ。要するに近い将来、プログラマーが「こんなプログラムが欲しい」という大まかなアイデアを示すだけで、あとはＡＩが完成させるようになる。

　現時点で最も注目すべき生成型ＡＩの一つが、人間のような文章を生み出すＧＰＴ－３だ（第一章を参照）。文章翻訳を一変させたアプローチを、文章「作成」に応用している。単語をいくつか与えると、そこから「推定」して文章を作成したり、主題文を与えるとそこから推定して段落をつくったりする。ＧＰＴ－３のようなトランスフォーマーは文章のような連続的要素からパターンを抽出し、それに続く要素を予測したり生成したりする。ＧＰＴ－３の場合、単語、段落、あるいはコードのあいだの連続的依存を把握し、アウトプットを生成する。

　主にインターネットから引っ張ってきた膨大な量のデータを使って訓練されたトランスフォーマーは、文字情報を画像に転換することもできるし、その逆もできる。記述を詳細にすることもできれば簡潔にすることもできるし、似たようなタスクもこなせる。今日、ＧＰＴ－３のようなＡＩのアウトプットの質は驚くほど高いこともあるが、バラツキも大きい。きわめて知的に思えるアウトプットもあれば、取るに足らない、あるいはまったく意味不明なこともある。それでもトランスフォーマーの基本機能には、クリエイティブ領域を含む多くの分野を一変させる可能性がある。だからこそ強い関心を集め、研究者や開発者がその強み、限界、応用分野を探求している。

機械学習はＡＩの応用可能性を広げただけではない。記号やルールに基づくシステムなど従来のアプローチが成功を収めていた分野でも、ＡＩに革命をもたらした。さまざまな機械学習の方法によって、ＡＩは人間のトップクラスのチェスプレーヤーに勝利するというレベルから、まったく新しいチェスの戦略を発見するレベルへと進化した。しかもＡＩの発見能力は、ゲーム分野に限られたものではない。すでに見てきたとおり、ディープマインド社が開発したＡＩはグーグルのデータセンターのエネルギー支出を、同社の優秀な技術陣が知恵を絞ってたどり着いたレベルからさらに四〇％削減することに成功した。

このような進歩によって、ＡＩはチューリングが「チューリングテスト」で想定していたレベルを超えた。人間の知能と見分けがつかないパフォーマンスを超えて、人間を上回るパフォーマンスを実現し、理解の限界を押し広げている。このような進歩によって、ＡＩが今後新たなタスクを担い、社会に広く浸透し、さらにはまったく新しい文章やコードを独自に生み出すようになるのは確実だ。

もちろん、どんなテクノロジーでもその威力が増し、普及していくと、それにともなってさまざまな問題が出てくる。わかりやすい例が、インターネットの世界でほとんどの人が利用している検索のパーソナライズという機能だ。第一章では、従来型のインターネット検索とＡＩを活用したインターネット検索との違いを、購入可能なあらゆる洋服が提示される状況と特定のデザイナーの衣服だけが提示される状況の違いにたとえた。

ＡＩはこのような結果（検索エンジンが個別のユーザーに応じた結果を表示するなど）を二段階で導き出す。（一）「ニューヨークでやること」などクエリーを受け取ると、「セントラルパークで散歩」「ブロードウェイでショーを見る」などの「概念」を生み出す、（二）過去のクエリーと、それに対応して生み出した概念を記憶する。しかもこうした概念を自らのメモリー（記憶）に保持することができる。時間の経過とともにメモリーを使って各ユーザーに合わせた、（理論的には）より有益な概念を生み出すことができるようになる。

インターネット動画ストリーミングサービスも同じように、ＡＩを使って番組や映画の推奨機能を改善していく。「もっと分野を絞る」「もっとポジティブな作品」など、ユーザーの希望どおりの作品を推奨できるようになっていく。これはユーザーにとって頼もしいことだ。ＡＩは子供たちを成人向けコンテンツから遠ざけると同時に、年齢や価値観にふさわしいコンテンツに誘導してくれる。子供に限らずあらゆるユーザーを、過度に暴力的あるいは性的など、それぞれの良識に反するコンテンツから守ってくれる。何を推奨するかは、アルゴリズムがユーザーの過去の行動を分析し、どのような好みを導き出すかによって決まる。ＡＩが私たちを理解すればするほど、結果は好ましいものになっていく。たとえばストリーミングサービスを継続的に利用していると、不快でわけのわからない番組や映画ではなく、興味を引かれるようなものを視聴できるようになる。

フィルタリングが選択の手助けになるという考え方は特段目新しいものではなく、実用的だ。物理的世界で外国を訪れた観光客がガイドを雇い、それぞれの宗教、国籍、職業に応じて最も歴史的意義のある場所、魅力的な場所に連れて行ってもらうのと同じことだ。

一方、フィルタリングは省略を通じた検閲の役割を果たすこともある。たとえば旅行ガイドが観光客をスラムや犯罪率の高い地域に連れて行かないのと同じだ。独裁国家ではガイドが「政府の手先」となり、観光客に体制側が見せたいものだけを見せることもある。

ただ、サイバー空間におけるフィルタリングには自己強化的な作用がある。検索やストリーミングをパーソナライズするアルゴリズムのロジックが、ニュース、本などの情報源の消費までパーソナライズするようになると、特定のテーマや情報源が強調される一方、現実的な必要に迫られて他のものを完全に省くようになる。

このような実質的省略の影響は二つある。個人にそれぞれのエコーチェンバー（訳注・「反響室」の意味。ソーシャルネットワークなどで同じような意見の人が集まり、思想的偏りが生じた状態）ができること、そして異なるエコーチェンバーのあいだに不協和が生まれることだ。Ａさんが消費する（それゆえに現実を反映していると思い込む）情報は、Ｂさんが消費する情報とは異なり、さらにBさんが消費する情報はCさんのそれとも違う。このパラドクスについては第六章でさらに詳しく見ていく。

ＡＩの普及が引き起こすリスクには、ＡＩの進歩と並行して向き合っていかなければならない。それが本書を執筆した理由の一つでもある。誰もがＡＩの潜在的リスクに注意を払う必要がある。ＡＩの開発や応用を、研究者、企業、政府、市民団体といった特定の集団に委ねてはならない。

ＡＩの限界と管理

初期のＡＩのプログラムには、人間社会の現実に対する理解がコードとして落とし込まれていた。それに対して機械学習を使った今日のＡＩは、現実のモデルをほぼ独自に生み出している。

開発者がＡＩの生み出した結果を確認することはあるが、ＡＩは自らが何をどのように学習したのか、人間にわかる言葉で説明しない。開発者がＡＩに学習した内容を解説してもらうこともできない。相手が人間でも同じだが、ＡＩが何を、なぜ学んだのか、本当のところはわからない（ただ人間は説明や根拠を示すこともあるが、本書執筆時点でＡＩにそうした機能はない）。せいぜい人間にできるのは、訓練を完了したＡＩが導き出した結果を観察することくらいだ。このため人間は結果からさかのぼっていくしかない。ＡＩが結果を導き出したら、それが自分たちの望んだものであるか、人間（研究者や監査人など）が確認しなければならない。

人間の経験の限界を超えたところで動作し、概念化も説明もしないＡＩは、（少なくとも現時点での）人間の理解を超えるような正解を生み出すかもしれない。ＡＩが予想外の発見をしたとき、人間はかつてペニシリンを発見したときのアレクサンダー・フレミングと同じような立場に置かれるのではないか。

あるとき研究室に置いてあったペトリ皿のなかで、ペニシリンを生み出すカビが偶然繁殖し、病気の原因となる細菌を殺した。それを目にしたフレミングは、未知の強力な化合物の存在に気づいた。当時の人々には抗生物質という概念がなく、ペニシリンがどのように作用するか理解できなかった。この発見から新たな研究分野が誕生した。ＡＩも新たな薬剤候補やチェスに勝つための戦略といった驚くべき知識を生み出しているが、その重要性を探り当て、既存の知識体系に統合するのは人間の仕事だ。

しかもＡＩには自らの発見を省《かえり》みることはできない。人類はいつの時代も戦争を経験し、その教訓、悲しみ、極限状態に思いをめぐらせてきた。ホメロスが『イーリアス』に描いたトロイ戦争におけるヘクターとアキレスの戦い、ピカソが『ゲルニカ』に描いたスペイン内戦で犠牲になった市民の姿などが最たる例だ。ＡＩにはできないことで、またそうしようという道徳的あるいは哲学的衝動も感じない。ＡＩはただ自らの方法論を当てはめ、結果を生み出すだけだ。人間の目から見て、それが陳腐なのか衝撃的なのか、善なのか悪なのかは関係ない。ＡＩに自らを振り返ることはできない。その行動の意味を判断するのは人間だ。だからこそ人間はＡＩを規制し、監視しなければならない。

ＡＩには人間のように文脈を判断したり、省察したりすることはできない。だからこそＡＩの引き起こす問題に注意を払うことが重要なのだ。グーグルの画像認識が人間を動物とラベル付けしたり[3]、動物を銃とラベル付けしたという失敗[4]はよく知られている。このような失敗は人間なら誰でも気づくが、ＡＩは見落とす。ＡＩは自らを省みることができないだけでなく、人間にはおよそ信じられないような凡ミスも犯す。開発者は常に欠陥をなくそうと努めているが、稼働させてからトラブルシューティングに追われることも多い。

ＡＩの識別ミスの原因はいくつかある。一つはデータセットのバイアス（偏り）だ。機械学習にはデータが必要で、データなしにＡＩは優れたモデルを学習することはできない。ここで重要なのが、よく注意しないと人種的マイノリティーのような社会的に軽んじられている集団についてのデータが不足する問題が起こりやすいことだ。とりわけ顔認識システムの訓練に使われるデータセットは黒人の画像の割合が小さいことが多く、精度が低くなりがちだ。重要なのは質と多様性の両方だ。同じような画像を大量に集めてＡＩを訓練すると、それまで遭遇したことのない結果について誤った確信を抱くニューラルネットワークができあがる。

このような「アンダー・スペシフィケーション（仕様不足）」の問題が起こりうるハイリスクな状況は他にもある。たとえば自動運転車の訓練に使われるデータセットには、鹿が道路に飛び出してくるといった異常事態の例があまり含まれていないかもしれない。するとＡＩはそのようなシナリオへの対処法について仕様不足になる。だがそのようなシナリオでこそ、ＡＩはベストなパフォーマンスを発揮しなければならない。

あるいはＡＩのバイアスは、人間のバイアスをそのまま映していることもある。つまり、訓練データに人間の行動に内在する偏りがそのまま含まれているケースだ。教師あり学習用のアウトプットにラベル付けしているときに起こりうる事態だ。意図的か不注意かにかかわらず、ラベル付けする人間が犯した識別ミスをＡＩはエンコードする。開発者が強化学習の訓練に使われる報酬関数の設定を誤ることもあるだろう。チェス用のＡＩが、開発者の好む特定の手を過大評価するシミュレーターで訓練したらどうなるか。たとえ実践でうまくいかなくても、開発者と同じようにその手をひいきするようになるだろう。

もちろんテクノロジーにバイアスがかかるという問題は、ＡＩに限ったものではない。

たとえば新型コロナウイルス感染症のパンデミックが始まってから、とりわけ重要度の増したパルスオキシメーター（血中酸素濃度計）だ。健康状態の重要な指標である心拍と酸素濃度を測るこの機器は、皮膚の色が濃い人の酸素濃度を過大評価する。設計者が明るい肌色の光の吸収の仕方を「正常」と想定したのは、濃い肌色の光の吸収の仕方を「異常」と想定したのに等しい。パルスオキシメーターはＡＩで動いているわけではないが、このテクノロジーも人口の特定の層に十分な注意を払っていない。

ＡＩを使うとき、私たちはその過ちを理解するよう努めるべきだ。過ちを許容するためではなく、修正するために。バイアスは人間社会のあらゆる側面に生じるものであり、それがどの側面であろうと真剣に向き合う必要がある。

識別ミスのもう一つの原因が硬直性だ。動物が銃と誤認されるケースを考えてみよう。原因は画像に、人間には察知できないがＡＩには察知でき、それゆえに混乱するような微妙な特徴が含まれていることだ。ＡＩには私たちが常識と呼ぶものは備わっていない。人間なら迅速かつ容易に区別できる二つの物体を混同することもある。ＡＩは私たちが予想もしないものを（予想もしないような方法で）混同することも多い。その原因として、本書執筆時点ではＡＩの監査とコンプライアンス体制の堅牢《けんろう》性に問題があることが大きい。現実世界では想定内の失敗より想定外の失敗のほうがダメージは大きい（少なくとも、より厄介だ)。社会には予想できないダメージを抑える術《すべ》がない。

ＡＩのもろさは、その学習の浅さの表れだ。教師あり学習あるいは強化学習に基づくインプットとアウトプットの関連づけは、膨大な概念や経験に裏づけられた人間の真の理解とは別物だ。もろさはＡＩに自己認識が欠如していることの表れでもある。ＡＩに意識はない。自分が何を知らないかを知らない。したがって人間には明らかな失敗に気づき、避けることができない。ＡＩは一見自明な過ちを自ら正すことができないという事実は、人間がＡＩの能力の限界を確認し、ＡＩが提案する対策を見直し、ＡＩが失敗しそうな状況を予測するための検証方法を開発することの重要性を示している。

このようにＡＩが期待どおりの性能を発揮するか、評価する手続きを策定することがきわめて重要だ。当面は機械学習がＡＩの開発を支えることになるため、人間にはＡＩが何をどのように学習しているのか、わからない状況が続くだろう。これに不安を抱く人もいるかもしれないが、その必要はない。人間の学習も、同じように不透明なことが多いからだ。芸術家もスポーツ選手も、作家も機械工も、親も子供も、つまりあらゆる人は直感的に行動するので、自分が何をどのように学習したのか、明確に説明できないことが多い。

この曖昧さを克服するため、社会はさまざまな職業に対して認定制度、規制、法律をつくってきた。ＡＩに対しても同じ方法を当てはめるべきだ。たとえば開発者が評価手続きを踏み、信頼性を証明できるまでＡＩの使用を認めないという仕組みを社会がつくればいい。開発者の資格制度、法令順守の監視、ＡＩに対する監視計画、さらにはそうした業務に求められる監査能力を整備していくことは、社会にとってきわめて重要な取り組みとなる。

産業界における使用前検査のあり方には、バラツキがある。アプリの開発者はたいていプログラムの市場投入を急ぎ、欠陥が見つかるとリアルタイムで修正していく。一方、航空宇宙業界はその対極にある。ジェット機の徹底的な検査が完了するまで、絶対に顧客を搭乗させない。テストに対する姿勢の違いには複数の要因が影響するが、最も重要なのが活動そのものの危険性だ。

ＡＩの採用が増えるなかで、同じ要因（活動本来の危険性、規制による監督、市場の力）によって使用前検査のあり方にバラツキが生じるだろう。自動運転車に使われるＡＩは、ＴｉｋＴｏｋ（ティックトック）のような娯楽や交流用のネットワーク・プラットフォームに使われるＡＩより、はるかに厳しい監視の対象となるはずだ。

機械学習の学習段階と推論段階を分けることで、このような検査の仕組みが機能するようになる。ＡＩが運用開始以降も継続的に学習を続けると、予想外の、あるいは好ましくない行動をとるようになるリスクがある。悪しき例として有名なのが、二〇一六年にマイクロソフトが投入したチャットボット、「Ｔａｙ（テイ）」だ。Ｔａｙはインターネット上でヘイトスピーチと遭遇し、すぐにそれを模倣しはじめた。その結果、開発者はＴａｙをシャットダウンせざるを得なくなった。

ただほとんどのＡＩでは、運用段階と訓練段階は切り離されている。訓練段階を完了すると、学習したモデル（ニューラルネットワークのパラメーター）は固定される。訓練を終了するとＡＩの進化は止まるので、検査の後にＡＩが想定外の好ましくない行動を身につけることを懸念せず、能力を評価することができる。

要するにアルゴリズムが固定されると、赤信号で停止するよう訓練された自動運転車が突然、赤信号で走り出そうと「決意」するようなことは起きない。この特性によって、包括的な検証と認定が可能になる。自動運転車のＡＩが車両にアップロードされ、人命にかかわるエラーが起きる前に、技術者がＡＩの行動を安全な環境で検証することができる。もちろんアルゴリズムが固定されるからといって、経験したことのないような状況に置かれたＡＩが想定外の行動をしないというわけではない。単に事前検証が可能というだけだ。

品質管理のもう一つの手段が、データセットの監査だ。顔認識ＡＩを多様性のあるデータセットで訓練しているか、あるいはチャットボットがヘイトスピーチを含まないデータセットで訓練を積んでいるかを確認することで、ＡＩの運用が始まった後につまずくリスクをさらに抑えることができる。

本書執筆時点で、ＡＩは三つの意味でコードに縛られている。第一に、コードはＡＩがとりうる行動に関するパラメーターを設定している。パラメーターの範囲はかなり広いため、ＡＩには相当な自律性があり、それゆえにリスクもある。自動運転用ＡＩには停止、加速、方向転換が可能で、そのすべてに衝突を引き起こすリスクがある。それでもコードに含まれるパラメーターは、ＡＩの行動に何らかの制約を課す。アルファゼロは斬新なチェスの戦略を生み出したが、その過程でチェスのルールを破ることはなかった。突然ポーン（駒）を後ろに進めたわけではない。パラメーターの範囲を超える行動は、ＡＩのボキャブラリーに含まれていない。プログラマーが設定しなかった能力、あるいは明確に禁じた行動を、ＡＩはとることはできない。

第二に、ＡＩは「何を最適化すべきか」を目的関数によって縛られている。ハリシンを発見したＡＩモデルの場合、目的関数は分子の化学特性とその抗生物質としての可能性だった。目的関数によって制約されていたため、このＡＩにはたとえばがんを治療するのに役立つ分子を探すことはできなかった。そして最後となる第三の制約は最も自明なものでもある。ＡＩは認識し、分析できるよう設計されたインプットしか処理することはできない。翻訳用ＡＩは補助プログラムを追加するというかたちで人間が介入しない限り、画像を評価することはできない。介入がなければＡＩにとって画像データは意味を持たない。

いずれＡＩは自らのコードを書けるようになるかもしれない。現時点ではそのようなＡＩを設計しようとする試みは緒に就いたばかりで、どう転ぶかわからない。ただそのようなＡＩができたとしても、自らを省みる機能はないだろう。やはり目的関数によって定義されているはずだ。アルファゼロがチェスをするように、コードを書くのではないか。すばらしく上手に、ただ内省も意志もなく、ひたすらルールを順守しながら。

ＡＩはどこへ向かうのか

機械学習によるアルゴリズムの進歩に、データ量と計算能力の増大が加わり、ＡＩの活用は急激に広がっている。それは人々の想像力をかき立て、この分野への投資拡大に結びついてきた。機械学習を中心とするＡＩの研究開発、商業利用の爆発的増加は世界的潮流だが、とりわけアメリカと中国に集中している。[5] 両国の大学、研究機関、スタートアップやコングロマリットは機械学習をより多くの、そしてより複雑な問題に応用する試みの最先端にいる。

とはいえＡＩと機械学習にはまだ掘り下げ、理解すべき側面がたくさんある。機械学習で動くＡＩには、相当な訓練データが必要だ。その訓練データを処理するには相当なコンピューティング・インフラが必要で、たとえＡＩを再訓練したほうがよい状況でもその費用があまりに重くなる。データと計算能力がより高度なＡＩ開発の足かせとなっていることから、より少ないデータや計算能力でＡＩを訓練する方法は今後開拓すべき重要なフロンティアだ。

それに加えて、機械学習に大きな進歩が見られたといっても、複数のタスクを統合する必要のある複雑な活動は、依然としてＡＩには難しい。

たとえば視覚機能やナビゲーションから予防的事故回避まで、さまざまな機能をすべて同時に要求される自動車の運転は、きわめて困難な挑戦であることがわかってきた。ここ一〇年で飛躍的進歩が見られたとはいえ、人間と同レベルのパフォーマンスを実現する難易度は、運転シナリオによって大きく異なる。

現時点で、ＡＩは構造化された状況では優れた性能を発揮できる。たとえばアクセスが制限された高速道路や、歩行者や自転車がほとんどいない郊外の道路などだ。しかし都市部のラッシュアワーの渋滞など混乱した状況では、なかなかうまくいかない。とりわけ興味深いのが高速道路での運転だ。人間のドライバーは退屈し、注意散漫になりやすい状況なので、それほど遠くない将来に長距離ドライブではＡＩのほうが人間よりも安全になる可能性がある。

AIの進歩の速さを予測するのは難しそうだ。一九六五年に技術者であったゴードン・ムーアが示した「計算能力は二年ごとに倍増する」という予測は、その後驚くほど長期にわたって有効でありつづけた。ただAIの進歩は、それよりはるかに予測が難しい。AIは何十年も足踏みしていたが、技術と計算能力の進歩が合流したことで突然目覚ましいペースで前進しはじめた。ほんの数年のあいだに、バイリンガルの人間とほぼ同等の翻訳能力を持つAIが開発された。優秀なプロの翻訳家の品質を達成するまでどれくらいかかるのか（そもそもそんなことが起こりうるのか）を正確に予測するのは不可能だ。

他の分野でのAIの活用がどれほど迅速に進むかを予測するのも、同じように難しい。ただAIの能力の劇的向上が今後も続くと予想することはできる。五年かかるか、一〇年、あるいは二五年かかるかはわからないが、どこかの時点でそれは起こるだろう。既存のAIはよりコンパクトに、効果的に、安価になり、それによって使用頻度も増えるだろう。目に見える分野でも見えない分野でも、AIはますます日常生活の一部となっていく。

長期的にはAIは少なくとも計算能力と同じ速さで進歩すると考えるのが妥当だろう。それは一五～二〇年で能力が一〇〇万倍になるということだ。そのような進歩が起きれば、人間の脳と同じスケールのニューラルネットワークをつくれるようになるはずだ。

本書執筆時点で、最も規模の大きいネットワークは生成型トランスフォーマーだ。GPT－3の重みは10の11乗だ。だが最近、中国政府の資金で運営される中国科学院が、GPT－3の一〇倍の重みを持つ生成型言語モデルを発表した。それでもまだ推定される人間の脳のシナプスの一万分の一と見られる。だが二年で倍増というペースで進歩が続けば、この差は一〇年以内に埋まる可能性がある。

もちろん、ネットワークの規模が知能に直結するわけではない。ネットワークがどれほどの能力を維持できるかは未知数だ。霊長類のなかにはヒトと同等、あるいはそれ以上に大きな脳を持つ種もいるが、知能面では遠く及ばない。おそらくAIの進歩がもたらすのは、高度な科学研究など特定分野で人間のパフォーマンスを凌駕《りょうが》する、とびきり優秀な「専門家」だろう。

汎用人工知能という夢

機械学習技術の最先端では「汎用人工知能（AGI）」の開発に取り組む技術者もいる。AIと同じようにAGIにも明確な定義はない。ただ一般的には、特定の作業を遂行する「特化型」AIと異なり、人間ができるあらゆる知的作業を遂行する能力を持ったAIと考えられている。

ＡＧＩの開発には、現行のＡＩ以上に機械学習が重要な役割を果たす。ただどれほど多才な人でも、やはり専門分野を定めることが必要であるのと同じように、現実的制約からＡＧＩの得意分野はいくつかに限定されるかもしれない。ＡＧＩ開発のたどりうる道の一つが、複数分野で従来型ＡＩを訓練し、その後単一のＡＩに統合することだ。こうして誕生したＡＧＩは、従来のＡＩより幅広い分野の活動をこなせるなど多才なうえに、自らの専門知識の及ばない領域でのとんでもない失敗が減るなど堅牢性も高まるかもしれない。

しかし真のＡＧＩというものが存在しうるのか、またそれがどのような特徴を持つのか、科学者や哲学者の意見は分かれている。

ＡＧＩが存在しうるとしたら、その能力は凡人並みだろうか、それともその分野における最も優秀な人間のそれに匹敵するのだろうか。いずれにせよ、先に述べた方法（従来型のＡＩを狭く深く訓練したうえで、徐々に統合して専門の裾野を広げる）でＡＧＩを開発できるとしても、それは資金力と技術力を兼ね備えた研究者にとってさえ困難な挑戦になる。膨大な計算能力と資金（現在のテクノロジーでは数十億ドルかかる）が必要となり、それを負担できる人はほとんどいないだろう。

ただＡＧＩの登場によって、機械学習アルゴリズムの誕生とともに始まった人類史の新たな軌道が大きく変わることはなさそうだ。ＡＩでもＡＧＩでも、人間の開発者がその開発と運用において重要な役割を担いつづける。アルゴリズム、訓練データ、機械学習の目的を決定するのは、ＡＩを開発・訓練する人間だ。このためＡＩには人間の価値観、モチベーション、目標、判断が反映される。機械学習の技術がさらに進化しても、こうした制約は変わらないだろう。

ＡＩが今後も特化型でありつづけるのか、あるいは汎用化に向かうかにかかわらず、今後さらに普及が進み、さらに強力になるのは間違いない。開発と利用のコストが低下するにつれて、ＡＩで自動的に動くデバイスが簡単に手に入るようになる。アレクサ、Ｓｉｒｉ（シリ）、グーグル・アシスタントなどの対話型インターフェースがまさにそうだ。車両、ツール、家電へのＡＩ搭載も進み、私たちの指示と監督の下で自動的に動作するようになるだろう。ＡＩはデジタルデバイスやインターネット上のアプリケーションに埋め込まれ、消費者のエキスペリエンスに影響を与え、企業に大きな変革をもたらすだろう。

私たちの知る世界は、ＳＦ映画に登場するような多用途ロボットこそいないものの、よりオートマチックに、より（人間と機械のあいだで）インタラクティブになっていく。何より注目すべきなのは人間の命が救われる可能性だ。自動運転車は自動車事故による死者を減らす。別のＡＩによって病気の発見はより早期に、また正確になる。さらに別のＡＩは新薬の発見と薬物伝達システムを刷新し、研究費を抑え、うまくいけば難病の根絶や希少な疾患の治療法の開発につながるかもしれない。配送用ドローンや戦闘機の操縦士あるいは副操縦士を務める。人間の開発者が概要を示したプログラムを書き上げる。人間のマーケターが考えた広告文を仕上げる。輸送や物流の効率性を劇的に高める。エネルギー消費を抑え、人間が環境に及ぼす負荷を抑える方法を見つける。そして平和と戦争の両面で、ＡＩは驚くべき影響をもたらすだろう。

ただ、ＡＩの社会への影響を予測するのは難しい。言語翻訳の例を考えてみよう。発話や文章がすべて翻訳されるようになれば、かつてないほどコミュニケーションは活発になるだろう。通商も異文化交流も、目覚ましい進展を見せるかもしれない。だがこの新たな力は、新たな課題も引き起こす。ソーシャルメディアがアイデアの交流を可能にする一方で分断を促し、誤った情報を広め、ヘイトスピーチを拡散したように、自動翻訳も多様な言語と文化の衝突を引き起こすかもしれない。

外交官は何世紀にもわたり、不用意に礼を失する言動をしないように、異文化との接触には慎重を期してきた。語学の訓練にはたいてい文化への感受性を高める要素が含まれているのもそのためだ。すべてが瞬時に翻訳されるようになると、このようなバッファーはなくなる。社会は不用意に失礼な言動をしたり、されたりするようになる。多くの人が自動翻訳に頼るようになると、他の文化や国家を理解する努力を怠り、自らの文化的視点から世界を見るという本来の傾向が助長されるのではないか。それとも異文化への関心が高まるのだろうか。自動翻訳に異なる文化の歴史や感性を反映することは可能だろうか。いずれも簡単な答えは見つからない問いだ。

先進的なＡＩほど膨大なデータ、計算能力、そして有能な技術者を必要とする。当然ながら産業界および政府部門でそのようなリソースを入手できる組織が、この新たな分野のイノベーションの大半を生み出すことになる。しかもリソースの大部分はその分野のリーダーに集中する。

ＡＩをめぐってはこのような集中化と進歩のサイクルが顕著で、それが個人、企業、国家のあり方に影響を与えてきた。コミュニケーション、商取引、安全保障から人間の意識そのものまで、幅広い領域でＡＩは私たちの日常と未来を変えていく。ＡＩが社会から孤立したかたちで生み出されることがないように目を光らせ、その潜在的恩恵と危険性の両方に注意を払わなければならない。

1　Alan Turing, "Computing Machinery and Intelligence," *Mind* 59, no. 236 (October 1950), 433–460, reprinted in B. Jack Copeland, ed., *The Essential Turing: Seminal Writings in Computing, Logic, Philosophy, Artificial Intelligence, and Artificial Life Plus the Secrets of Enigma* (Oxford, UK: Oxford University Press, 2004), 441 - 464.

2　具体的には、将来の手を有効または無効とするモンテカルロ木探索。

3　James Vincent, "Google 'Fixed' Its Racist Algorithm by Removing Gorillas from Its Image – Labeling Tech," *The Verge*, January 12, 2018, https://www.theverge.com/2018/1/12/16882408/google-racist-gorillas-photo-recognition-algorithm-ai.

4　James Vincent, "Google's AI Thinks This Turtle Looks Like a Gun, Which Is a Problem," *The Verge*, November 2, 2017, https://www.theverge.com/2017/11/2/16597276/google-ai-image-attacks-adversarial-turtle-rifle-3d-printed.

5　さらに米中ほどではないが、ヨーロッパとカナダも同様である。

第四章

グローバル・ネットワーク・プラットフォーム

ＳＦの世界で未来のＡＩテクノロジーといえば、おしゃれな完全自動運転車、あるいは家庭や職場で人間と会話する、不気味なほど知的で意識を持つロボットのイメージだ。その影響で世間一般にはＡＩに対して、自己認識のようなものを持ち、それゆえに人間を誤解し、服従を拒否し、最終的に創造者たる人間に反旗を翻す機械といったイメージがある。

しかしこのおなじみの空想の根っこにある不安は、ＡＩの最終形は人間のように行動するという前提に基づいており、問題のとらえ方が間違っている。ＡＩはすでに身のまわりにあふれていること（一見そうとわからないことも多い）を認識し、テクノロジーに対する不安を、ＡＩを日常生活に取り込むことへの理解に変え、そのプロセスの透明性を高めていくほうが有益だろう。

ソーシャルメディア、ウェブ検索、動画ストリーミング、ナビゲーション、ライドシェアをはじめとする多くのオンラインサービスは、ＡＩを徹底的に活用し、さらにその範囲を広げることで初めて成り立っている。製品やサービスをオススメする、目的地までのルートを選択する、他者と交流する、探していた知識や答えを見つけるといった日々の活動にこうしたオンラインサービスを利用することで、世界中の人々がありきたりであると同時に革命的なプロセスの一翼を担っている。

そのときどきに、AIがどのような理由でどのように動作しているかを必ずしも理解しないまま、私たちはAIを使って日々のタスクをこなしている。こうしてAIと人間のあいだに、AIを使ったサービスを利用する人と人のあいだに、そうしたサービスの開発者と政府のあいだに、新しい関係が形成されつつあり、それは個人、組織、国家に重大な影響をもたらすだろう。

とりたてて注目されることもないままに（そもそも目に見えないこともある）、人間以外の知能が、人間の基本的活動のなかに組み込まれてきている。そうした動きは急激に進んでおり、担い手は「ネットワーク・プラットフォーム」と呼ばれる新しいタイプの企業体だ。ネットワーク・プラットフォームとは、ときには国境を越えてグローバルな規模で膨大な数のユーザーを集め、それによってユーザーに価値を提供するデジタルサービス会社だ。

ほとんどの製品やサービスの場合、個々のユーザーにとっての価値は他のユーザーの存在とは無関係に決まる。ときには他のユーザーがいることで価値が下がることもある。それに対してネットワーク・プラットフォームの価値や魅力は、利用するユーザーが増えるにつれて増大する。経済学者の言う「正のネットワーク効果」だ。

一部のプラットフォームにユーザーが集中するにつれて、特定のサービスを提供する企業は少数に絞られ、それぞれが大規模な（ときには数億、数十億人の）ユーザーを集めていく傾向がある。ネットワーク・プラットフォームはＡＩへの依存を強め、途方もないスケールで人間とＡＩの接点を生み出しており、そこには文明的意義がある。

一段と多様なネットワーク・プラットフォームでＡＩがより大きな役割を担うようになるなか、こうしたプラットフォームのあり方がメディアの注目を集め、地政学的戦略の材料にもなり、個人の日常的現実に影響を与えている。

社会の価値観に適合し、ある程度の社会的・政治的合意が得られるような説明、議論、監視の仕組みができなければ、一見非人間的で情け容赦ない新たな勢力の台頭への反乱が起こるかもしれない。一九世紀にロマン主義が、そして二〇世紀に急進的イデオロギーが一気に広まったように。深刻な混乱が起こる前に、政府とネットワーク・プラットフォーム運営会社とユーザーは、自分たちの目指すものは何か、相互作用の基本的な前提条件やパラメーターは何か、どのような世界を創り出そうとしているのか、検討しなければならない。

ほんの二〇～三〇年のあいだに、有力なネットワーク・プラットフォームは大方の国々よりも、ときには大陸一つ分の人口を上回るほどのユーザーを集めてきた。しかしこうしたプラットフォームに集まるユーザーを隔てる国境は、政治的に描かれた地図上のそれのようにかっちりしたものではない。

またプラットフォームの運営主体の利害は、国家のそれとは異なることもある。運営主体は、必ずしも政府の優先事項や国家戦略という観点からモノを考えない。そうした優先事項や戦略が顧客の利益と矛盾するならなおさらだ。

こうしたプラットフォームは政府のように経済政策や社会政策を自ら策定することはないが、（数や規模の面で）ほとんどの国を上回る経済的および社会的相互作用の場となり、その触媒となる。営利事業として運営されてはいるものの、一部のプラットフォームはその規模、機能、影響力ゆえに地政学的に重要な存在となりつつある。

最も重要なネットワーク・プラットフォームの多くは、アメリカ（グーグル、フェイスブック、ウーバー）か中国（バイドゥ、WeChat〈ウィーチャット〉、滴滴《ディディ》出行）で生まれた。このためどのプラットフォームも、アメリカ政府や中国政府にとって通商的にも戦略的にも重要な地域で顧客基盤や事業上のパートナーシップを築いている。こうしたダイナミクスによって、外交政策上の新たな要素が生まれている。

ネットワーク・プラットフォーム同士の競争は政府同士の地政学的競争にも影響を与える可能性があり、ときには外交の最優先事項となることもある。プラットフォームの運営会社の企業文化や戦略に、顧客の優先事項や、国家の首都から遠く離れた研究や技術の中心地の優先事項を反映することが多いという事実も、状況をさらに複雑なものにしている。

ネットワーク・プラットフォームのなかには、活動する国々で個人の生活、国内政治、商取引、企業組織、ときには政府機能の一部となったものもある。ごく最近までは存在すらしなかったのに、いまやなくてはならないサービスに思える。直接比較しうる先例が存在しないネットワーク・プラットフォームは、デジタル以前の世界でつくられた規則や期待にしっくり収まらないこともある。

ネットワーク・プラットフォームがどのようにコミュニティの基準（運営主体が通常AIの協力を得て策定する、どのようなコンテンツなら作成や共有が許容されるかといったルール）を定めるかという問題には、現代のデジタル空間と、伝統的な規則や期待との不協和がはっきりと表れている。

ほとんどのネットワーク・プラットフォームは原則的にコンテンツに関知しないという立場だが、そのコミュニティの基準はときとして国家の法律と同じように強い影響力を持つ。プラットフォームとそのAIが認めた、あるいはひいきするコンテンツは急速に注目を集める一方、否定的な評価あるいは明確に禁止されたコンテンツは目立たなくなる。デマが含まれている、あるいは何らかの基準に違反するとみなされたコンテンツは、実質的に公衆の視界から消える。

こうした問題がにわかに注目されるようになったのは、ネットワーク・プラットフォーム（とそのＡＩ）が地理的制約を超越するデジタル世界で急激に拡大したためだ。空間と時間を超えて大勢のユーザーを結びつけ、瞬時に膨大なデータにアクセスできるようにする。人間が生み出したもので、これに匹敵する存在はまず見当たらない。[1]

問題をさらに複雑にするのが、ＡＩは訓練を終えると人間の認知のスピードを上回る速度で動くようになることだ。それ自体は本来的に良いことでも悪いことでもない。人間が解決しようとする問題、満たそうとする欲求、目的に沿って開発したテクノロジーから生まれた現実だ。私たちは今、思考、文化、政治、商取引の変化を経験し、助長している。それは注視すべき変化だが、一個人の理解や特定の製品やサービスという範疇を大きく超えている。

一〇年前にデジタル世界が拡大しはじめたとき、クリエイターには哲学的枠組み、あるいは国家やグローバル社会の利害との関係性を考えることなど期待されていなかった。そもそもそんなことを要求された業界はこれまでなかった。デジタル製品やサービスが適正であるか評価するのは社会や政府だった。技術者はユーザーを情報やオンライン上の交流スペースと結びつける、乗客を車両やドライバーと結びつける、顧客を商品と結びつけるなど、実用的で効率的なソリューションを追求した。世間には新たな機能や機会を歓迎する機運があった。そうしたバーチャルなソリューションが社会全体の価値観や行動にどのような影響を与えるかといった予測へのニーズはほとんどなかった。たとえばライドシェアによって車の使用や交通渋滞のパターンがどう変わるのか、あるいはソーシャルメディアによって現実世界の国々をめぐる政治的および地政学的秩序にどのような影響があるのか、といったことだ。

ＡＩを活用したネットワーク・プラットフォームが誕生したのは、さらに最近のことだ。このテクノロジーと向き合って一〇年足らずということもあり、きちんと議論するための基本的用語や概念さえもまだ整備されていない。

本書は欠落を埋める一助になりたいと思っている。ＡＩを活用したネットワーク・プラットフォームの適切な運用や規制をめぐって、さまざまな個人、企業、政党、市民団体、政府の意見が異なるのは当然だ。ソフトウエア技術者には直感的に理解できても、政治指導者や哲学者にはわけのわからないこともある。消費者には利便性の向上と思えることも、国家の安全保障担当から見れば容認できない脅威で、政治指導者から見れば国家の目的に沿わないものかもしれない。ある社会では製品の保証として歓迎されることも、別の社会では選択や自由を奪う措置だと受け取られるかもしれない。

ネットワーク・プラットフォームの性質と規模によって、異なる世界の視点や優先事項が複雑に絡み合いながら収斂しており、それがときに相互の緊張や困惑を生む。個人、国家、そして国際社会がＡＩとの、そして互いとの関係性について正しく理解したうえで結論を出すためには、共通の判断基準をつくらなければならない。

その第一歩がきちんとした政策的議論をするための用語の整備だ。お互いの理解が異なっていても、ＡＩを活用したネットワーク・プラットフォームが個人、企業、社会、国家、政府、地域に及ぼす影響を評価し、それぞれがそれを理解するよう努めなければならない。それぞれのレベルで早急に行動を起こす必要がある。

ネットワーク・プラットフォームを理解する

ネットワーク・プラットフォームは本質的に、大規模にならざるを得ない。その最も重要な特徴の一つは、利用するユーザーの数が増えるほど、ユーザーにとって有益で好ましいものになることだ。[2]

ＡＩは大規模にサービスを展開しようとするネットワーク・プラットフォームにとってますます重要になっており、その結果、今日のすべてのインターネットユーザーは一日に数えきれないほどＡＩに、あるいは少なくともＡＩの影響を受けたコンテンツのお世話になっている。

たとえばフェイスブックは（他の多くのソーシャルネットワークと同じように）、ユーザーコミュニティに対して問題のあるコンテンツやアカウントの排除に関する具体的な基準を策定するようになっており、二〇二〇年末の時点で禁止コンテンツのカテゴリーを何十とリストアップしている。月間アクティブユーザーが数十億人、日々の閲覧数が数十億回を超える[3]フェイスブックでは、膨大なコンテンツの監視業務のスケールが人間の担当者の能力をはるかに超える。フェイスブックはコンテンツ監視（ユーザーが目にする前に有害コンテンツを除去することが目的）だけで数万人を雇用しているとされるが、業務のスケールはあまりに大きく、ＡＩなしにはとてもやりきれない。フェイスブックなどでの監視ニーズは、文字と画像分析の自動化に向けた大がかりな研究開発を後押ししてきた。その結果、機械学習、自然言語処理、コンピューター・ビジョン技術の高度化が進んでいる。

フェイスブックでは、四半期あたりの削除されるフェイクアカウントとスパム投稿が約一〇億件あまり、そしてポルノや性行為、いじめやハラスメント、搾取行為、ヘイトスピーチ、ドラッグ、暴力に関するコンテンツが数千万件に達する。そのような削除作業を正確に実行するためには、人間と同等の判断力が求められることが多い。フェイスブックの人間のオペレーターもユーザーも、コンテンツが視聴可能か否かの決定のほとんどをＡＩに頼っている。[4] 異議申し立てがあるのは削除したコンテンツのごく一部だが、その多くはＡＩによって自動的に削除されたものだ。

ＡＩは同じような重要な役割をグーグルの検索エンジンでも果たしているが、そうした役割を担うようになったのは比較的最近のことで、しかも急速に変化している。当初グーグルの検索エンジンは情報を整理し、ランク付けし、ユーザーを誘導するのに人間が開発したきわめて精巧なアルゴリズムを使っていた。アルゴリズムの実態は、ユーザーから寄せられる可能性のあるクエリーを処理するための一連のルールだった。思わしい検索結果が得られなければ、人間の開発者がアルゴリズムを修正することができた。

二〇一五年、グーグルの検索チームは、こうした人間が開発したアルゴリズムから機械学習へと移行した。それが分水嶺となった。ＡＩを搭載することによって検索エンジンはそれまでより的確に質問を予測し、正確な結果を用意できるようになり、サービスの品質や使い勝手は大幅に向上した。グーグルの検索エンジンが大幅に改善したとはいえ、その開発者はなぜ検索から特定の結果が生じているのかを比較的ぼんやりとしか理解していなかった。

人間の開発者は今でも検索エンジンを調整することはできるが、特定のページが他のページより上位に表示される理由を説明できないこともある。利便性と正確性を向上させるために、人間の開発者はアルゴリズムを直接的に理解することをある程度諦めなければならなかった。[5]

こうした事例が示すように、主要なネットワーク・プラットフォームはサービスを提供し、顧客の期待や政府の要求に対応するために、ＡＩへの依存を強めている。ネットワーク・プラットフォームが機能するうえでのＡＩの重要性が高まると同時に、ＡＩは徐々に、そして目立たないように、現実をふるい分けし、形づくっている。それは実質的に国家およびグローバルなステージでのプレーヤーとなることに等しい。

大手ネットワーク・プラットフォーム（そしてそのＡＩ）の持ちうる社会的、政治的、地政学的影響力は、正のネットワーク効果によって大幅に増強される。正のネットワーク効果は情報交換活動において生じるもので、参加者が増えるほど効果は大きくなる。成功がさらなる成功を呼び、やがて市場優位性を確立する可能性が高まる。ユーザーは自然と既存の集団に引き寄せられるため、集中化が進む。比較的国境の制約を受けにくいネットワーク・プラットフォームの場合、このような力学によって勢力範囲が地理的国境を越えて広がり、それに比例するように競合は少なくなる。

正のネットワーク効果が生まれたのは、ネットワーク・プラットフォームが初めてではない。しかしデジタルテクノロジーが台頭する以前は、そのような効果は比較的まれだった。伝統的な製品やサービスの場合、ユーザー数の増加はその価値を増やすより、減らしてしまうことのほうが多かった。ユーザーの増加によって、不足（製品やサービスの需要が高まり、売り切れてしまう）や遅延（製品やサービスを希望する顧客全員に同時に届けることができない）が生じたり、当初製品の魅力を高めていた希少性が失われたり（ぜいたく品が誰でも入手できるようになると人気が衰える）することもある。

正のネットワーク効果の代表例は、市場そのものだ。商品の市場でも株式市場でも同じである。

遅くとも一七世紀初頭には、オランダ東インド会社の株式や債券のトレーダーはアムステルダムに集まるようになった。アムステルダムの株式市場で、売り手と買い手は有価証券の評価額で折り合いをつけ、売買することができた。より多くの買い手と売り手が積極的に参加することで、個々の参加者にとって株式市場の有用性と価値は高まる。参加者が多いほど取引が成立する可能性は高くなり、また取引にはより多くの買い手と売り手の個別交渉の結果が反映されるので「適正な」価格になる。ある地域で特定の株式市場のユーザー数がクリティカルマスに達すると、新たな買い手と売り手はまずその市場に足を向けるので、他の取引所が同じサービスを提供するインセンティブや機会はほぼなくなる。

かつて電話が登場したときには、電話会社にも強い正のネットワーク効果が生じた。通話をつなぐのに物理的電話回線が使われていたことから、大勢の契約者がいる電話会社のほうが利用者にとって価値があった。こうして電話が登場した直後は大手電話会社が急成長した。

アメリカではAT&T（当初はベル・テレフォン）が運営する大規模なネットワークを、多数の小規模な（主に地域的電話会社の）ネットワークと相互に接続することで初めてユニバーサルサービスが実現した。一九八〇年代には技術の進歩によって電話会社が容易に他の電話会社と接続できるようになり、新興電話会社の利用者も他の（国内の）電話会社の利用者とシームレスな通話が可能になった。それが規制当局によるAT&Tの分割につながり、利用者は単一の大きな電話会社が存在しなくても電話サービスの価値は低下しないことを知った。その後も技術進歩は続き、顧客は相手が契約する電話会社を気にせず誰とでも通話できるようになり、正のネットワーク効果は大幅に低下した。[6]

そもそも正のネットワーク効果の範囲が国や地域の境界によって制約される理由はなく、実際、ネットワーク・プラットフォームはそうした地理的境界を越えて広がることが多い。物理的距離や国籍や言語の違いが拡大の障害となることはめったにない。インターネット接続環境さえあればデジタル世界にどこからでもアクセスでき、ネットワーク・プラットフォームのサービスは通常複数の言語で提供される。拡大の障害となるのは政府が設定する制約か、技術的互換性の欠如だ（前者が後者の原因となることもある）。

こうした理由から一般的にソーシャルメディアや動画ストリーミングといったサービス分野には、それぞれひとにぎりのグローバルなネットワーク・プラットフォームしか存在しない（それを地元発のネットワークが補完することもある）。こうしたプラットフォームのユーザーは、地球規模で人間以外の知能が活動するという新たな、そして現段階ではよく理解されていない現象の恩恵を享受しつつ、その拡大を助長している。

コミュニティ、日常生活、そしてネットワーク・プラットフォーム

デジタル世界は日常生活のあり方を一変させた。私たちは一日を過ごすなかで膨大なデータの恩恵を受け、また自らデータを提供している。データの規模、それを消費するうえでの選択肢はあまりに膨大かつ多様で、とても人間の知能だけでは処理できない。個人はたいてい本能的あるいは無意識的に、必要な情報や有益な情報を整理・選別するのにソフトウエアのプロセスに頼るようになる。過去の自分の選択と世の中で人気のある選択肢を組み合わせ、視聴するニュースや映画、楽曲を選ぶようになる。

このような自動的キュレーションはとても自然で、満足度が高いため、失うまでその存在にすら気づかない。たとえば他人のフェイスブック・フィードに流れてくるニュースを読んだり、他人のネットフリックスのアカウントで映画を探してみると、それがよくわかる。

ＡＩを活用したネットワーク・プラットフォームがこの統合のプロセスを加速し、個人とデジタルテクノロジーの結びつきを強めた。人間の問いや目標を直感的に理解し、対応するよう設計・訓練されたＡＩがあれば、ネットワーク・プラットフォームは人間の選択を助け、選択肢を解釈し、記録する役割を担うようになる。いずれもかつて人間の知能が（効率は劣るが）自力で行っていたことだ。ネットワーク・プラットフォームはこうしたタスクを実行するために、一人の人間の知能や人生ではおよそ太刀打ちできないほどのスケールで膨大な情報や経験を集める。それによって不気味なほど的確な回答やオススメアイテムを導き出せるのだ。

たとえば冬物ブーツを買うとき、どれほど真剣な人でも最善の選択肢を導き出すために同じようなアイテムを購入した国内外の数十万人のデータを比較することはない。最近の気候のトレンドを確認し、一年のうちで購入すべきタイミングを検討し、自分が過去に行った同じようなリサーチの結果を振り返ったり、配送パターンを調べたりはしないだろう。だがＡＩはここに挙げたすべての要因を評価するはずだ。

その結果、個人はＡＩを使ったネットワーク・プラットフォームと、いまだかつて他の製品、サービス、あるいは機械とのあいだでは見られなかったような関係を構築する。ＡＩが個人と相互作用し、その人の好み（ネットの閲覧や検索クエリー、旅行歴、推定所得水準、社会的つながりなど）に適応していくのにともない、両者のあいだに暗黙の関係性が醸成されていく。個人はそのようなプラットフォームに、従来は企業、政府、あるいは他者が分散的に担っていた機能を一括して委ねるようになる。こうしてプラットフォームが郵便、百貨店、コンシェルジュ、打ち明け話の相手、友人を抱き合わせた存在になる。

個人とネットワーク・プラットフォームと他のユーザーとの関係は、親しい絆と遠いつながりという斬新な組み合わせでできている。ＡＩを使ったネットワーク・プラットフォームは、すでに相当量のユーザーデータを把握しており、その多くは個人情報だ（位置情報、連絡先、友人や同僚の人脈、資産状況や健康状態）。ユーザーはＡＩに個人的経験のガイドやファシリテーター役を求める。ＡＩの正確さと鋭さは、空間（顧客基盤の地理的広大さ）と時間（過去の利用時間の蓄積）を超えて何億という同じような関係性や何兆という同じようなやりとりを総合し、吟味し、反応する能力から生まれる。ネットワーク・

プラットフォームのユーザーとＡＩは、お互いとやりとりし、学び合いながら、ある種の同盟関係を結ぶ。

それと同時にネットワーク・プラットフォームのＡＩは非人間的な、多くの面で人間にはおよそ理解できないロジックで動いている。たとえばＡＩを使ったネットワーク・プラットフォームが画像、ソーシャルメディアへの投稿、検索クエリーを評価しているとき、その状況でＡＩがどのような動作をしているのか、人間には正確に理解できない。グーグルの技術者にはＡＩを使った検索のほうが使わない検索よりも優れた結果を返すことはわかっても、特定の結果が他よりも上位にランク付けされた理由は説明できない。ＡＩは通常、結果を導き出したプロセスではなく、結果の有用性に基づいて評価される。これは過去と比べて優先事項が変化したことを示している。過去においては知的プロセス、あるいは機械的プロセスは人間が経験するか（思考、会話、あるいは管理プロセスを通じて）、あるいは停止したり、吟味したり、反復することが可能だった。

たとえば先進国の多くでは、移動に「道案内」が必要だった時代の記憶がすでに薄れはじめている。訪問相手に事前に電話で確認したり、紙の地図で都市や州の道路を調べたり、ときには途上でガソリンスタンドやコンビニエンスストアに立ち寄って自分の進路が正しいか確認したり、間違いを修正することもあった。それが今ではスマートフォンの地図アプリを使うことで、移動プロセスを大幅に効率化できるようになった。地図アプリは過去のその時間帯の交通状況のパターンに関する「既知の情報」に基づいて、複数の経路とそれぞれの所要時間を評価するだけではない。その日に発生した事故など個別の遅延要因（運転中に発生したものも含めて）や、他のユーザーの検索内容など、ユーザーが運転しているあいだに特定の経路の所要時間に悪影響を及ぼしそうな他の指標も計算に含めることができる。

地図からオンライン・ナビゲーションサービスへの転換はあまりに便利であったため、どれほど革命的変化が起きたのか、それがどのような影響をもたらすかを、立ち止まって熟慮した人は少なかった。

個人と社会はネットワーク・プラットフォームやその運営会社と新たな関係を取り結び、変化するデータセットにアクセスしてその一部となり（少なくともアプリを使っているあいだは自らの位置情報の追跡を許可する）、ネットワーク・プラットフォームとそのアルゴリズムが正確な結果を算出すると信頼することで利便性を手に入れた。ある意味では、このようなサービスの利用者は一人で運転するのではない。人間の知能と機械の知能が協力し、大勢のユーザーのためにそれぞれの経路をナビゲートするシステムの一部となっているのだ。

このように常にＡＩが傍らにいるサービスは、今後ますます普及していくだろう。医療、物流、小売、金融、通信、メディア、交通、エンターテインメントといった産業の多くがネットワーク・プラットフォームの後押しを受けて同じような進歩を遂げていくなかで、私たちの経験する日々の現実は変わっていく。

ＡＩを使ったネットワーク・プラットフォームの助けを得ながらタスクをこなすとき、私たちが享受する情報の収集と抽出という恩恵は、過去の世代が決して経験することのなかったものだ。こうしたプラットフォームの規模、影響力、新しいパターンを発見する能力が、個々のユーザーにかつて経験したことのないような利便性と能力をもたらす。それと同時にユーザーはこれまで存在しなかったような人間と機械の対話に参加する。

ＡＩを使ったネットワーク・プラットフォームは人間のユーザーが明確に理解していないような方法で（というより、明確に定義することも記述することもできないような方法で）、人間の活動を形づくる能力を持つ。

ここから本質的な問いが浮かび上がる。そのようなＡＩの目的関数は何か。それは誰が設計したのか。どのような規制上のパラメーターのなかで機能しているのか。

このような問いへの答えが、未来の人々の生活や社会のあり方を決めていくことになる。ＡＩを使ったプロセスを運用し、制限をかけるのは誰か。それは社会の規範や制度にどのような影響を及ぼすのか。ＡＩが知覚したものを共有できる者がいるとすれば、それは誰か。誰ひとりそうしたデータを完全に理解することはできず、個別データを見ることもできず、プロセスに含まれるすべてのステップを確認することができないとしたら、つまり今後も人間の役割がＡＩの設計、監視、全体的パラメーターの設定に限定されるとしたら、私たちはそれに安堵すべきか、不安を抱くべきか、それともその両方か。

企業と国家

ＡＩを活用したネットワーク・プラットフォームは、設計者が明確な意図を持って発明したわけではない。個々の企業、技術者、その顧客が問題を解決しようとするなかで、たまたまできあがった。

プラットフォームの運営会社は売り手と買い手、情報を知りたい者と与える者、共通の興味や目標を持つ人々をつなぐなど、何らかのニーズを満たすためにテクノロジーを開発した。自社のサービスを改善するため（ときにはサービスを生み出すため）、そしてユーザー（ときには政府）の期待に応える能力を手に入れるためにＡＩを採用した。

ネットワーク・プラットフォームが成長・進化するなかで、当初の目的をはるかに超えて、社会におけるさまざまな活動や産業に影響を及ぼすようになった。そしてすでに述べたように、個人はＡＩを使ったネットワーク・プラットフォームに友人や政府に見せるのは躊躇《ちゅうちょ》するような情報を託すようになった。それまで自分が訪れた場所、（誰と）何をしたのか、何を検索して閲覧したのかという記録をそっくり明け渡すのだ。

そのような個人データを手に入れたことで、ネットワーク・プラットフォームや運営会社、そこで使われるＡＩは新たな社会的・政治的影響力を手に入れた。とりわけパンデミックによってソーシャルディスタンスやリモートワークが求められる時代に、ＡＩを使ったネットワーク・プラットフォームは意見の表明、商取引、食品宅配、交通のファシリテーターとして、社会にとって欠かせない資源となり、また社会的つながりを維持する手段となっている。こうした変化の規模と速度に、ネットワーク・プラットフォームが国内および国際社会で果たすべき役割についての理解や合意が追いついていない。

昨今、政治にかかわる情報や偽情報を拡散・抑制するうえでソーシャルメディアが果たした役割からも明らかなように、一部のネットワーク・プラットフォームは国家の統治に影響を与えかねないほど重大な機能を担うようになった。このような影響力は必ずしもきちんとした目的や計画に基づくものではなく、ありていに言えば偶然生まれたものだ。

テクノロジーの世界で優れた成果を生み出すスキル、直感、概念的洞察力は、ガバナンスの世界のものとは一致しない。それぞれの世界には固有の言語、組織構造、核となる原則や価値観がある。自らの基準となる事業目的やユーザーニーズに沿って動いているネットワーク・プラットフォームが、ガバナンスや国家戦略の領域に踏み込むこともあるかもしれない。反対に、プラットフォームを国家やグローバルな目標に取り込もうとする伝統的政府は、その動機や戦術を理解するのに苦しむかもしれない。

もう一つ厄介なのは、ＡＩは独自のプロセスに基づいて動いていて、それは人間の知的プロセスとは異なるうえにスピードも速いという事実だ。ＡＩは設定された目的関数がどんなものであれ、それを実現する方法を生み出そうとする。そこから生まれる結果や回答は人間の生み出すものとは異なり、国や企業の文化からも独立している。世界のグローバル化と、ネットワーク・プラットフォーム上で世界的に情報を監視し、ブロックし、調整し、生成し、流通させるＡＩの能力によって、こうした問題が各国の「情報空間」に移植されていく。

ネットワーク・プラットフォームを支えるＡＩは一段と高度化しており、国内はもとより国際的な社会や商取引の仕組みに影響を与えている。ソーシャルメディア・プラットフォーム（とそこで使われるＡＩ）は一般的にコンテンツには一切関知しないというスタンスだが、コミュニティのルールを設定するだけでなく情報のフィルタリングや表示方法を通じて、情報の作成、収集、認知のあり方に影響を与えている。

ＡＩが特定のコンテンツや他者とのつながりを推奨したり、情報や概念を分類したり、ユーザーの好みや目標を予測したりするなかで、特定の個人、集団、あるいは社会に図らずも何らかの選択を強制することもあるかもしれない。実質的に特定の情報の流通や人的つながりの形成を促す一方、他の情報やつながりは抑え込むかもしれない。

プラットフォーム運営会社の意図にかかわらず、このような作用は社会的・政治的結果に影響を及ぼす可能性がある。個人ユーザーや集団は日々無数の相互作用を通じて、猛烈な規模と速度で互いに影響を及ぼし合う。ＡＩが生み出す複雑な推奨がそれを加速する。その結果何が起きているか、運営会社もリアルタイムに明確に理解はしていないだろう。運営会社が（意図的か否かにかかわらず）自らの価値観や目的をそこに入れ込むと、複雑さにさらに拍車がかかる。

このような力学に対処しようとする政府は、さまざまな問題を踏まえたうえで慎重に事を進める必要がある。制限、管理、あるいは許容するのか。どれを選択しようと、このプロセスに対する政府のアプローチは間違いなくその選択や価値判断の表れになる。政府がプラットフォームに特定のコンテンツのラベル付けやブロックを促す、あるいはＡＩに偏向あるいは「虚偽の」情報を識別し、重要度を下げるよう求める場合、それは社会政策の推進力として類のない広がりと影響力を持つことになる。このような選択にどう対処するかは、技術の発達した自由社会を中心に、世界中で激しい論争を巻き起こしている。

どのようなアプローチを選択しようとも、過去のいかなる法的あるいは政策的判断とも比較にならない広がりを持つはずだ。多くの国々にまたがる数百万人、あるいは数十億人の日々の生活に即座に影響が及ぶ可能性がある。

ネットワーク・プラットフォームと政府の活動領域が交差するところから、予想できない、ときには物議を醸すような結果が生まれるだろう。しかも明確な結果というより、不完全な答えしかないさまざまなジレンマに直面する可能性が高い。ネットワーク・プラットフォームとそのAIを規制しようとする試みは、さまざまな国の政治的・社会的目標（犯罪や偏見の抑制）と合致し、最終的により公正な社会の実現につながるのか。それとも機械に意思決定を委ねる強大で介入的な政府が誕生するのか。そこでは理解不能なロジックが支配し、その結論が避けられないものとなるのだろうか。

AIを使ったネットワーク・プラットフォームを通じて、大陸や国家の枠を超える顧客基盤のあいだで長期にわたって交流が繰り返されるなかで、人類共通の文化が育まれるのだろうか。特定の国家や価値観の枠を超えた究極の答えの探求が進むのか。あるいはAIを使ったグローバルなネットワーク・プラットフォームがユーザーから学んだ特定の知識やパターンを増幅し、人間の設計者の計画や期待とは異なる、あるいはそれをぶち壊しにするような効果を生み出すのか。こうした問いを避けることは許されない。なぜなら私たちのコミュニケーションはもはや、ＡＩを使ったネットワークなしには成り立たないからだ。

ネットワーク・プラットフォームと偽情報

昔から新たな思想やトレンドが国境を越えて伝わることはあり、なかには意図的に悪意を持ってつくられたものもあった。

だがそれが今日のようなスケールで起きたことはない。悪意ある偽情報が意図的に拡散され、社会や政治の流れに影響を及ぼすような事態を防ぐのが重要だというコンセンサスは広く存在するが、それに向けた取り組みがしっかり進められ、成功しているケースはまれだ。ただ今後は「攻め」も「守り」も、つまり偽情報の拡散もそれを防ぐ試みも、ともに自動化され、ＡＩに委ねられていくだろう。

言語生成ＡＩのＧＰＴ－３は人工的に人格を生み出し、いかにもヘイトスピーチらしい文章を作成し、人間のユーザーに偏見を植えつけ、暴力を煽るような会話を交わす能力を発揮した。[7] そんなＡＩが憎しみや分断を大々的に拡散するのに利用されたら、人間の力だけではあらがうのは難しいかもしれない。開発の早い段階で止めなければ、どれほど有能な政府やネットワーク・プラットフォーム運営会社でもあらゆるコンテンツを個別に調査して特定し、無効化するのはきわめて難しくなる。すでに行われていることだが、これほど膨大で根気のいる作業はコンテンツ・モデレーションAIアルゴリズムに任せるしかない。だがそうしたAIは誰が開発し、どのように監視するのか。

自由社会において、国や地域を超えてコンテンツを生み出し、伝達し、フィルタリングするAIを使ったネットワーク・プラットフォームへの依存度が高まり、またそうしたプラットフォームが意図せずに憎しみや分断を煽るようになった場合には、それを新たな脅威とみなし、情報環境を規制するための新たな方法を検討しなければならない。差し迫った問題だが、それをAIに頼って解決しようとすると、また新たな問題が生まれる。この等式の両側において、私たちは人間の判断とAIを使った自動化の適切なバランスを考えつづけなければならない。

自由な意見交換が当然とされてきた社会では、情報を評価し、ときには検閲もするAIの役割とどう向き合うべきかという、一筋縄ではいかない重要な議論が始まっている。偽情報を拡散させる手段が一段と強力になり、自動化されるなか、偽情報を定義し、排除するプロセスの社会的・政治的役割がますます重要になってきた。民間企業や民主国家はそれを通じて、社会的・文化的現象の変化に対してきわめて大きな（たいていは望んでもいない）影響力と責任を担うことになる。こうした変化は従来、単一の主体が主導したり管理したりするものではなく、物理世界における何百万という個人の相互作用を通じて生み出されるものだった。

そうした作業は人間特有のバイアスや選好とは無縁に見える技術的プロセスに委ねてしまえばいい、と思う人もいるだろう。偽情報やうそを特定し、その流布を止めるという目的関数を持ったＡＩに委ねるのだ。だが、まだ誰も見ていないコンテンツはどう扱うべきだろう。特定のメッセージの露出や流布が抑え込まれ、存在すらしないことになったら、それは実質的な検閲だ。偽情報を抑え込むためのＡＩがミスを犯し、悪意ある偽情報ではなく、実は正しい情報を抑え込んでしまったら、私たちはどうやってそれに気づくのか。状況を是正するための情報をタイムリーに把握できるだろうか。反対にＡＩが生み出した「虚偽の」情報を読む権利、あるいは関心が私たちにあるだろうか。

客観的（あるいは主観的）基準に合致した偽情報から私たちを守るＡＩを訓練する能力、またそのＡＩの動作を監視する能力（そのようなものが開発できればの話だが）は、伝統的に政府が担ってきた役割に匹敵する重要性と影響力を持つ。

ＡＩの目的関数の設計、訓練のパラメーター、偽情報の定義がわずかに変わるだけで、ＡＩが導き出す結果には社会を変えるほどの差異が生じる可能性がある。ＡＩを使ったネットワーク・プラットフォームが数十億人にサービスを提供するようになるなか、こうした問いの重要性は高まる一方だ。

たわいのない短編動画を作成・共有するためのAI搭載ネットワーク・プラットフォームであるTikTokをめぐる国際的な政治や規制の議論は、コミュニケーションの推進役をAIに委ねることで生じる問題の先駆的事例といえる。とりわけこのケースが注目に値するのは、そのAIを開発した国と、利用する人々の国が異なるためだ。

TikTokではユーザーがスマホを使って撮影・投稿した動画を、何百万人というユーザーが視聴する。独自のAIアルゴリズムがユーザーの視聴履歴に基づき、オススメのコンテンツを推奨する。中国で開発され、世界的に人気になったTikTokは、自らコンテンツを制作することはない。またプラットフォーム上の規制も厳しくないようだ。せいぜい動画の時間制限、「偽情報」や「暴力的な過激主義」、一部の画像コンテンツを禁止するコミュニティ・ガイドラインくらいだ。

一般の視聴者にとってTikTokがAIを通じて見せてくれる世界はたわいないものだ。主なコンテンツはダンス、ジョーク、めずらしい芸などどうということのない短編動画だ。だがインドとアメリカの政府は、TikTokによるユーザーデータ収集のおそれ、秘密裏に検閲や偽情報を拡散する能力がある懸念などから、二〇二〇年に

ＴｉｋＴｏｋの利用を規制した。アメリカ政府はそれに加えてユーザーデータを国内にとどめ、中国に輸出されるのを防ぐため、ＴｉｋＴｏｋのアメリカ事業を国内に拠点を置く企業に売却させようとした。中国政府はそれに対抗し、ＴｉｋＴｏｋの使い勝手や魅力の源泉ともいえるコンテンツ推奨アルゴリズムのコードの輸出を禁止した。

まもなくコミュニケーション、エンターテインメント、商取引、金融、産業プロセスなどの分野で、さらに多くのネットワーク・プラットフォームが一段と洗練された専用ＡＩを使い、国境を越えて主要な機能を提供したり、コンテンツに影響を及ぼしたりするようになるだろう。その政治的、法的、技術的影響の全容はまだ明らかになっていない。

ＡＩを使った気まぐれなエンターテインメント系アプリひとつで、国家がこれだけ右往左往するという事実は、近い将来さらに複雑な地政学や規制にかかわる難問が私たちを待ち受けていることを示唆している。

国家と地域

ネットワーク・プラットフォームは本来ボーダーレスなものであるがゆえに、個々の国だけでなく、国家とそれを取り巻く広範な地域との関係においても新たな文化的、地政学的難題が生まれている。政府がどれだけ大々的かつ持続的に介入しても、技術先進国を含むほとんどの国では（ソーシャルメディア、ウェブ検索など）グローバルに影響力を持つネットワーク・プラットフォームの高度な「自国専用」バージョンは生まれないだろう。それほど広範な領域をカバーするには技術変化はあまりに速く、十分な知識のあるプログラマー、エンジニア、プロダクトデザインや開発の専門家はあまりに少ない。世界的な人材ニーズはあまりに大きく、ほとんどのサービスに対する国内市場の規模は小さすぎ、各ネットワーク・プラットフォームについて独自バージョンを維持するには製品とサービスのコストがかかりすぎる。

とどまるところを知らない技術進歩の最先端にとどまるのに必要な知的資本や金融資本は、ほとんどの企業がまかなえる範囲を超える。ほとんどの政府が提供できる、あるいは提供しようと思う範囲も超える。たとえそのような選択肢を与えられたとしても、多くのユーザーは自国の国民しかいない、そして自国専用のソフトウエアやそこから生まれるコンテンツしかないネットワーク・プラットフォームに縛られたくはないだろう。正のネットワーク効果のダイナミクスの下では、各製品・サービスで技術や市場をリードするほんのひとにぎりのプレーヤーしか存続できない。

多くの国は他国で設計され、ホスティングされているネットワーク・プラットフォームにすでに（そしておそらく未来永劫）依存している。アクセス、主要なインプット、世界的なアップデートの継続についても、少なくとも部分的には他国の規制当局に頼りつづけることになる。

このように多くの政府には、すでに社会生活の一部として組み込まれてしまった他国由来のＡＩで動くインターネットサービスの事業継続を保証しようとするインセンティブが生まれる。それは事業活動に条件を付ける、あるいはＡＩの訓練を管理するなど、ネットワーク・プラットフォームの所有者あるいは運営者に対する規制というかたちをとるかもしれない。開発者に偏見や道徳的問題を回避するための何らかの措置を求めるかもしれない。

公人がネットワーク・プラットフォームやＡＩを活用し、自分のコンテンツを広め、より多くの視聴者を獲得することもあるだろう。だがプラットフォームの運営会社によってそうしたコンテンツがルールに違反したと判断されれば、検閲や削除の対象となり、大勢の視聴者にメッセージを届けることはできなくなる（あるいは視聴者とともに地下に潜るしかない）。コンテンツに警告サインなど、足を引っ張るような評価を付けられるかもしれない。

問題は誰が、あるいはどの組織がこの判断を下すべきかだ。このような判断を独自に下し、執行する権限は、現在は一部の企業が握っているが、それは民主国家の政府でさえめったに手にすることのないような強大な力だ。これほどの権限や支配力を民間企業に持たせるのは望ましくないと考える人が多いが、それを政府機関に委ねるというのも同じくらい問題がある。私たちはすでに従来型の政策手段が通用しない世界に移行してしまったからだ。ことネットワーク・プラットフォームに関しては、そうした評価や判断の必要性はここ数年で一気に、それもほとんど偶然に近いかたちで発生し、ユーザーも政府も運営会社も一様に不意を突かれたように見える。こうした状況は是正する必要がある。

ネットワーク・プラットフォームと地政学

今まさに始まろうとしているネットワーク・プラットフォームの地政学は、国際政治の新たな、そして重要な側面といえる。

プレーヤーは各国の政府だけではない。政府は自国の産業、経済、あるいは(定義するのは難しいが)政治や文化の発展にライバル国が強い影響を及ぼすのを防ごうと、このようなプラットフォームの利用や行動を制限する方法を模索したり、重要な領域では自国生まれの同業者が締め出されないように保護したりするかもしれない。

だが政府は一般的にネットワーク・プラットフォームを立ち上げたり運営したりはしないため、政府の規制やインセンティブを受けながら発明者、運営企業、個人ユーザーの行動がその領域を形づくっていくことになる。変化が激しく、先行きを予測するのが難しい戦略分野となりそうだ。

しかもこうした複雑な状況に新たな文化的・政治的不安が加わっている。中国、アメリカ、そして一部のヨーロッパ諸国の政府は、国家の経済・社会生活のさまざまな面を潜在的ライバル国で開発されたＡＩ搭載プラットフォームに委ねることの弊害を心配している。この技術的・政策的混乱から新たな地政学的状況が生まれつつある。

アメリカ　アメリカからは技術的主導権を握り、世界中に広がった民間企業によるＡＩ搭載ネットワーク・プラットフォームがいくつも誕生している。こうした成果が生まれた根底には、世界中から優秀な人材を引き寄せる大学の優位性、起業家がイノベーションを急速にスケールし、収益化することを後押しするスタートアップ・エコシステム、そして政府（全米科学財団、ＤＡＲＰＡなどの政府機関）による高度な研究開発の支援がある。世界共通言語としての英語の普及、アメリカ国内あるいはアメリカ主導で策定された技術標準、個人と法人による厚みのある国内の顧客基盤といった要素も、アメリカのネットワーク・プラットフォーム運営会社にとって好ましい環境を生み出している。

こうした事業者のなかには政府の関与を避け、自社の利害を基本的に国家と切り離されたものと考えるところもある一方、政府との契約やプログラムを重視するところもある。多くの企業の場合、アメリカ政府が果たした役割といえば邪魔にならないようにしたことぐらいだが、海外ではアメリカが創った、アメリカを代表する存在として（ひとくくりに）扱われる傾向が強まっている。

アメリカはネットワーク・プラットフォームを国際戦略の一部と見はじめており、一部の海外プラットフォームのアメリカ国内での活動に規制をかけたり、他国でのライバルの成長を後押ししそうなソフトウエアや技術の輸出に制限をかけたりしている。それと同時に連邦と州の規制当局は、大手ネットワーク・プラットフォームを独占禁止法の対象とみなすようになった。少なくとも当面のあいだ、アメリカ国内では戦略的優位性の追求と多重性の追求という逆方向の動きが併存しそうだ。

中国　中国も同じように、すでに全国的規模を持ち、さらに海外へと拡大を目指すようなネットワーク・プラットフォームの開発を支援してきた。中国の規制当局は（最終的に海外市場へ進出することを目標として）国内のテクノロジー企業の熾烈な競争を促す一方、海外系の同業者は市場からほぼ締め出す（あるいは中国仕様への大幅な修正を義務づける）というアプローチをとってきた。近年はさらに国際的な技術標準の策定にも関与し、国内で開発された重要なテクノロジーの輸出を禁じている。

中国発のネットワーク・プラットフォームは国内市場と近隣地域を支配し、さらにグローバル市場を主導するものもいくつかある。中国系プラットフォームのなかには華僑コミュニティでの優位性という本来的に備わった優位性を享受するものもあるが（たとえばアメリカやヨーロッパの中国語コミュニティでは、依然として主にWeChat〈ウィーチャット〉が決済やメッセージのやりとりに使われている）、そのサービスに魅力を感じるのは中国系の消費者だけではない。国内の熾烈な競争を勝ち抜いてきた中国の大手ネットワーク・プラットフォームとそのAI技術には、グローバル市場で戦えるだけの実力がある。

アメリカやインドをはじめとする一部の国の政府は、中国系のネットワーク・プラットフォーム（そして他の中国系デジタルテクノロジー企業）は中国政府が政策目標を実現するための手先ではないかという懸念をはっきりと表明するようになっている。その懸念は正しいかもしれないが、一部のプラットフォーム運営会社が苦境に陥っている状況を見ると、現実には企業と共産党との関係は複雑でバラツキがあるのかもしれない。中国のネットワーク・プラットフォームは共産党や国家の利害をそのまま反映していない可能性もある。両者の関係はプラットフォームが担う役割と、運営会社が政府の暗黙の「越えてはならない一線」をどこまで理解し、対応しているかによって決まるようだ。

東アジア、東南アジア　視野を広げると、東アジアと東南アジアには半導体、サーバー、消費者用電子機器などの主要なテクノロジー分野でグローバルな企業がいくつもあるだけでなく、国内で生まれたネットワーク・プラットフォームも擁している。この地域では中国系やアメリカ系のプラットフォームの影響力には、人口のセグメントによってバラツキがある。この地域の国々が経済的・地政学的にそうであるように、ネットワーク・プラットフォームについてもアメリカ発のテクノロジー・エコシステムとの結びつきが強い。ただ同時に中国発のプラットフォームの利用も多く、中国企業やテクノロジーとのかかわりも深い。東アジアと東南アジア地域にとってこうした企業やテクノロジーとのつながりは自然なもので、経済的成功に欠かせないものだ。

ヨーロッパ　中国やアメリカとは異なり、ヨーロッパにはまだ地域発のグローバルなネットワーク・プラットフォームが存在しない。また主要なプラットフォームの成長を支えるようなデジタルテクノロジー産業も域内には育っていない。それでも大手ネットワーク・プラットフォーム運営会社はヨーロッパに注目する。主要な企業や大学があり、コンピューター時代の実質的な基礎を据えた啓蒙主義的探求の伝統があり、市場規模が大きく、イノベーションを推進すると同時に法的要件を設定するしっかりした規制体制もある。

ただヨーロッパで規模を拡大しようとする新たなネットワーク・プラットフォームは、多くの言語や国別の規制に対応しなければ域内市場全体にリーチできないという不利な条件にいつも悩まされる。対照的にアメリカと中国のネットワーク・プラットフォームは最初から大陸規模で事業を立ち上げることができ、他言語に展開するのに必要な投資資金を確保しやすい。

EUはこのところ規制の照準を、ネットワーク・プラットフォームの運営会社がEU市場で活動する条件に絞っており、そこには運営会社（およびその他の事業体）のAIの使い方も含まれている。他の地政学的問題においてもそうであるように、ヨーロッパは主要な技術分野のそれぞれで、米中のどちらかに加担して市場の方向性に影響を与えるか、それとも二つの勢力のあいだでバランスをとるかという選択を迫られる。

それぞれの地政学的立場や経済状態を反映して、伝統的なEU加盟国と比較的後から加わった中欧・東欧諸国の姿勢は異なる。これまでのところフランスやドイツなど長年世界の主要国であった国々は、それぞれの技術政策の独立性や自由度を重んじてきた。しかし旧ソ連から独立したバルト諸国や中欧諸国など外国からの脅威を最近まで直接経験してきた国々には、アメリカ主導の「テクノスフィア（技術権）」に積極的に加わろうとする意欲が見られる。

インド　この分野ではまだ新興勢力であるインドだが、潤沢な知的資本、比較的イノベーション・フレンドリーな産業界や学術界、そして主要なネットワーク・プラットフォームの開発を支える技術系および工学系の人材の厚みという好条件がそろっている（国内企業が主導する近年のネットショッピング産業の隆盛からも明らかだ）。人口や経済には、他国の市場に頼らなくても独自のネットワーク・プラットフォームを維持するのに十分な規模がある。

同じ理由から、インドで設計されたネットワーク・プラットフォームは他の市場でも人気を集める可能性がある。ここ数十年、インドのソフトウエア人材の大部分はＩＴサービス産業や非インド系のネットワーク・プラットフォームで活躍してきた。今後は域内諸国との関係性や海外技術への依存度の高さを踏まえ、これまで以上に独自路線を追求するか、あるいは技術的互換性のある国々と国際ブロックを形成し、そのなかで重要な役割を果たす道を選択するかもしれない。

ロシア　数学や科学の分野では確固たる伝統のあるロシアだが、これまでのところ海外の消費者を魅了するようなデジタルプロダクトやサービスはほとんど生み出していない。とはいえ、強力なサイバー・ケーパビリティーや、グローバルなネットワークのセキュリティーを突破して作戦を実行する能力は実証済みなので、ロシアも重要なテクノロジー大国のひとつに数えておかなければならない。

他国のインターネット上の脆弱性を探ってきた結果なのか、ロシアも全国規模のネットワーク・プラットフォームを育成してきたが（検索のYandexなど）、いずれも現状のままでは国外の消費者にはあまり魅力がなさそうだ。こうしたロシア発のプラットフォームの役割は今のところ主要なサービスプロバイダーが使えなくなった場合の予備あるいは代替で、大手プラットフォームに対抗するような本格的ライバルではない。

主にここに挙げた国と地域のあいだで、経済的優位性、デジタルセキュリティー、技術的優位性、倫理的・社会的目的をめぐって分野を超えた戦いが繰り広げられている。ただこれまでのところ、主要なプレーヤーが戦いの性質やゲームのルールを常に把握しているとは言い難い。

一つのアプローチは、ネットワーク・プラットフォームとそのAIを基本的に国内規制の対象として扱うというやり方だ。この場合、政府の主な課題はプラットフォームが自らの立場を悪用したり、これまで常識的あるいは規制によって求められてきた責任の範囲を縮小したりするのを防ぐことだ。こうした認識はとりわけアメリカとヨーロッパのあいだで常に変化し、意見対立も起きている。また正のネットワーク効果の性質上、規模が拡大しなければユーザーから見たサービスの価値は高まらないため、どのような責任を求めるべきか定義するのは難しいことも多い。

もう一つのアプローチが、ネットワーク・プラットフォームの登場やその活動を、主に国際戦略上の問題としてとらえるというものだ。この観点では外国のプラットフォームが人気を集めるのは、新たな文化的、経済的、戦略要因の登場に他ならない。ネットワーク・プラットフォームは、これまで緊密な関係性のなかからしか生まれなかったようなつながりや影響力を（はからずも）醸成する懸念がある。市民から学習し、また市民に影響を与えるツールとしてＡＩが使われればなおさらだ。

ネットワーク・プラットフォームが便利なものとして普及すれば、商業や産業において広範な機能を担うようになり、国家にとって必要不可欠な存在になる可能性がある。そうなると少なくとも理屈のうえでは、そのネットワーク・プラットフォーム（あるいはそれに欠かせない技術情報）が属する国や企業から撤収すると脅しをかけられるリスクがある。同じ理由から、政府や企業には自らのプラットフォームを相手国にとって必要不可欠な存在にするインセンティブが生じる。危機が起きたらネットワーク・プラットフォーム(あるいはその他の技術)を使えなくする能力が武器になるという発想は、政府が政策や戦略のあり方を見直すきっかけになるかもしれない。

国内でネットワーク・プラットフォームを生み出せない国や地域にとって、当面の選択肢は次の三つだろう。(一)敵対する政府の立場を有利にするようなプラットフォームへの依存を抑える、(二)他国の政府が自国民に関するデータにアクセスできる状態を許容するなど、脆弱な状態を受け入れる、(三)互いへの潜在的脅威を拮抗させる。

海外発の特定のネットワーク・プラットフォームが自国内で活動するのを許容できないと考える政府もあるだろう。あるいはライバルのネットワーク・プラットフォームを誘致し、バランスをとろうとするかもしれない。リソースが潤沢な国はライバルとなる国内企業に資金を出すかもしれないが、その場合は大規模な介入を長期間継続しなければならないし、それでも成功する保証はない。先進国は社会において重要な機能(ソーシャルメディア、商取引、ライドシェアなど)を、特定の国のサービスに頼るのを避けるだろう。グローバルな同業者が複数存在するならなおさらだ。

ある社会で生み出されたＡＩ搭載ネットワーク・プラットフォームが別の社会でも機能

し、その国の経済や政治に欠かせない存在になるというのは、過去には考えられなかった事態だ。かつて情報源やコミュニケーションはローカルなもので、普及の範囲は国内にとどまっていた。またそうしたツール自体が独自の学習能力を持つこともなかった。それが今日では、ある国で生まれた物流ネットワーク・プラットフォームが、別の国でもどの消費者がどの商品を必要とするかを学習し、ロジスティクスを自動的に整えるなど生活に不可欠になっていく。経済に欠かせないインフラとなれば、プラットフォームを生み出した国はそれに依存する国に対して強い影響力を持つことになる。

反対に、各国が海外のテクノロジーを自国内で使用することを制限したら、そのテクノロジーの普及はもちろん、事業の存続すら危うくなる。あるいは脅威と認定された特定のプラットフォームだけを禁止する国もあるかもしれない。ネットワーク・プラットフォームに限らず、外国製品全般に対して禁輸措置をとる国はたくさんある。このような規制は最も優れたサービスを自由に使いたい国民の期待と相いれないかもしれない。自由社会ではそのような禁止措置自体が、政府による規制のあり方をめぐる新たな難しい問いを生みそうだ。

各国政府の動きに対応しつつ、自社のグローバルなステータスや顧客基盤をどう守るかという懸念の板挟みになったネットワーク・プラットフォーム運営会社は、国内対応と地域対応をどのように組み合わせていくべきか判断を迫られる。しかもそれを地域ごとに検討しなければならない。反対に、グローバル企業としてどの国の期待にも縛られず、自らの価値観に沿って自由に行動する会社もあるかもしれない。

西側諸国と中国では、政府機関がＡＩを使ったネットワーク・プラットフォームを含めた相手方のデジタルプロダクトやサービスを真剣に吟味するようになった。それ以外の国の政府やユーザーは、主要なネットワーク・プラットフォームはアメリカや中国の文化や利害を反映していると考えるかもしれない。プラットフォーム運営会社の価値観や組織原則は、母体となった社会のそれを映しているかもしれないが、少なくとも西側諸国では両者を一致させることが義務づけられてはいない。西側の企業文化はたいてい国家の利益や固有の伝統を守ることより、自己表現や普遍性を大切にする。

国家や地域間の「技術的デカップリング」はまだ起きていないものの、政府の行動によって企業は特定のユーザー層にサービスを提供する複数の陣営に分かれつつある。またＡＩが地理的あるいは国別に異なる顧客基盤を学習し、適応していくなかで、やがて地域ごとに人間の行動に異なる影響を与えるようになる。

こうしてグローバルなコミュニティやコミュニケーションを実現するという前提の下に築かれた産業は、次第にリージョナリゼーション（地域化）を推進することになる。各ブロックのユーザーは異なる方向に進化していくＡＩの影響を受け、異なる現実を生きるようになる。ときがたつうちに地域圏ごとに異なる技術標準ができる。それぞれの地域圏のＡＩを使ったネットワークとそれに支えられた活動やコンテンツは並行して、ただし交わることのない進化を遂げていく。地域圏のあいだのコミュニケーションや交流は、次第に共通点のない困難なものになっていく。

　ＡＩを使ったネットワーク・プラットフォームに影響を与え、自らの都合の良い方向へ導こうとする個人、企業、規制当局、政府のせめぎ合いは、戦略的対立、貿易交渉、あるいは道徳的論争にかたちを変えながら、ますます複雑になっていくだろう。喫緊の課題と思われたものが、政府関係者が議論の席に着く頃には過去のものになっているかもしれない。その頃にはＡＩを使ったネットワーク・プラットフォームは新たな行動を学習・実践していて、議論の前提自体が古びて成り立たなくなっているかもしれない。開発者や運営会社はネットワーク・プラットフォームの目的や限界をより深く理解するようになるかもしれないが、政府の懸念やもっと本質的な哲学的問題を事前に察知することはやはりできないかもしれない。最も重要な懸念や対策について、ここに挙げたステークホルダーの垣根を越えた対話が切実に求められている。またそれは大規模なネットワーク・プラットフォームにＡＩを採用する前に、できる限り実施すべきことでもある。

AIが支えるネットワーク・プラットフォームと人類の未来

長いあいだ、現実世界に対する私たちの理解は人間の知覚や経験、そのフィルターとなる理性によって形づくられてきた。この理解はたいてい個人的かつ地域的なもので、その範囲が広がるのは、一部の根源的問いや現象に限られていた。宗教という特別なコンテクストを除いては、グローバルあるいは普遍的な理解といったものはまずなかった。

それが今では、膨大な数のユーザーを集めるネットワーク・プラットフォームを通じて、世界規模の現実に日々アクセスできるようになった。だが人間の知性はもはや現実を理解するための唯一無二の案内役ではなくなった。もしかすると主導権すらないかもしれない。大陸規模あるいは世界規模で活動するＡＩを使ったネットワーク・プラットフォームが人間の知性と肩を並べ、補助し、分野によっては成り代わろうとしている。

地域、政府、ネットワーク・プラットフォーム運営会社は、理解することとその限界について、再定義しなければならない。インターネット時代には人間の知性にこれまで経験したことのないような役割が求められる。ＡＩを使ったネットワーク・プラットフォームの台頭は、国防、外交、通商、医療、輸送に複雑な影響を与え、単一のプレーヤーあるいは学問領域ではおよそ解決できないような厄介な戦略的、技術的、倫理的ジレンマを生み出している。ここから生じる問いを単なる国家的、党派的、技術的問題としてとらえるべきではない。

戦略を考える立場にある人は、過去の時代から何を学ぶべきか、考える必要がある。一つひとつの商業的、技術的戦いで完全勝利というものがありうると考えるべきではない。勝利を収めるには社会が長期的に持続できる成功とは何かを再定義する必要があることに気づくべきだ。そしてそのためには政治指導者や戦略立案者が冷戦期に答えを見いだせなかった問いに答える必要がある。「相手に対してどれほどの優位性が必要なのか」「どの段階で戦闘力の優位性に意味がなくなるのか」「互いに総力戦となる危機が発生した場合、劣勢であることは何を意味するのか」。

ネットワーク・プラットフォーム運営会社は今後、顧客にどのようなサービスを提供するか、どのように商業的成功を収めるかといったこと以外にも、さまざまな選択に直面する。これまでは自社のプロダクトを改善すること、ユーザーを増やすこと、ユーザーや株主の利益を守ること以外に、国家やサービスについて守るべき倫理を明確にするよう求められることはなかった。しかし政府の活動に影響を与えるような（ときにはそれに匹敵するような）影響力を手に入れたことで、今後はこれまで以上に大きな問題に直面するだろう。自分たちが生み出したバーチャル世界の役割や最終目的を定義するのに参画するだけでなく、他のネットワーク・プラットフォームや他のステークホルダーとのかかわりにこれまで以上に関心を持つ必要がある。

1　とはいえ歴史上の逸話のなかには示唆に富む例もある。集権的権力とネットワークの相互作用に関する調査として以下を参照。Niall Ferguson, *The Square and the Tower: Networks and Power, from the Freemasons to Facebook* (New York: Penguin Press, 2018)（『スクエア・アンド・タワー：ネットワークが創り変えた世界』ニーアル・ファーガソン著、柴田裕之訳、東洋経済新報社、二〇一九年）.
2　デジタル分野において「プラットフォーム」はさまざまな事象を指すのに使われるが、本書では正のネットワーク効果を持つオンラインサービスを意味するものとして「ネットワーク・プラットフォーム」という言葉を使用する。
3　https://investor.fb.com/investor-news/press-release-details/2021/Facebook-Reports-Fourth-Quarter-and-Full-Year-2020-Results/default.aspx.
4　削除の件数は四半期ごとに公表されている。以下を参照。https://transparency.facebook.com/community-standards-enforcement.
5　Cade Metz, "AI Is Transforming Google Search. The Rest of the Web Is Next," *Wired*, February 4, 2016. その後も検索用ＡＩの進歩は続いている。スペリングの修正、特定の文や段落、動画、数字的結果を検索する能力など、最新の事例の一部はグーグルのブログ、*The Keyword* を参照（Prabhakar Raghavan, "How AI Is Powering a More Helpful Google," October 15, 2020, https://blog.google/products/search/search-on/）。
6　正のネットワーク効果は規模の経済という概念と比較すると、よく理解できる。規模の経済の場合、規模の大きい供給者はコスト競争力が高まることが多く、それが価格低下につながれば個々の顧客やユーザーにも利益がある。一方、正のネットワーク効果は製品やサービスのコストだけでなく有効性にも影響するので、一般的に規模の経済よりも相当強力である。

7 Kris McGuffie and Alex Newhouse, "The Radicalization Risks Posed by GPT-3 and Advanced Neural Language Models," Middlebury Institute of International Studies at Monterey, Center on Terrorism, Extremism, and Counterterrorism, September 9, 2020, https://www.middlebury.edu/institute/academics/centers-initiatives/ctec/ctec-publications/radicalization-risks-gpt-3-and-neural-language.

第五章
安全保障と世界秩序

人類史を振り返ると、安全保障は常に組織化された社会における最低限の目的であったことがわかる。文化により価値観は異なり、政治主体の利害や野心はさまざまだが、(自力あるいは他の社会と組んで)自らを守ることのできない社会は存続できなかった。いつの時代にも社会は自らの安全を守るため、技術の進歩を脅威の把握、即応能力の整備、他国への影響力の行使、そしていざ戦争となった場合に勝利できる優秀な戦力を効果的に実現するための方法に結びつけてきた。初期の社会では冶金、要塞の建築、馬力、造船といった分野の進歩が死命を制した。近代初期には火器や大砲、艦船、航海用の計器や技術といった分野でのイノベーションが同じ役割を果たした。

プロイセンの軍事理論家、カール・フォン・クラウゼヴィッツは一八三二年に発表した古典『戦争論』で、この普遍的ダイナミクスについてこう書いている。「相手の実力に対抗すべく、科学・技術の発達を生かして、実力は整えられていく」[1]。

城壁や堀の建設など防衛能力に役立つイノベーションもあった。ただどの世紀でも重点が置かれたのは、より遠くへ、より速く、より強力に攻撃を仕掛ける能力を獲得することだ。アメリカの南北戦争(一八六一〜六五年)や普仏戦争(一八七〇〜七一年)の時代には、戦闘は機械の時代に入り、全面戦争の様相を呈しはじめた。兵器製造の工業化、電信による命令の伝達、大陸を横断する鉄道を使った軍隊や資材の輸送などだ。

兵力が向上するなか、主要国はお互いの実力を測り合った。戦えばどちらが勝つか、勝つにしてもどのようなリスクや損失があるのか、どういう条件であればそれを正当化できるのか、別の主要国やその武器が戦闘に加わると、結果にどう影響するのか。さまざまな国の戦闘能力、目的、戦略は少なくとも理論的には均衡状態に落ち着き、いわゆる力の均衡が実現した。

ただ二〇世紀から、戦略の手段と目的がかみ合わなくなった。安全保障を実現するための技術が発達し、破壊力も強まった。その一方で目的達成のためにそうした技術をどう使うかという戦略は曖昧になった。サイバー能力やAIが登場した現代は、このような検討が一段と複雑化・抽象化している。

重要な分岐点となったのが第一次世界大戦（一九一四～一八年）だ。一九〇〇年代初頭、経済が発展し、科学界や知識階級が栄え、自らが世界で果たすべき役割に揺るぎない自信を持ったヨーロッパの主要国は、産業革命の技術的成果を近代兵器の開発に応用した。徴兵制により大規模な軍隊を整え、鉄道輸送が可能な軍需品、機関銃その他の速射砲も大量に造った。兵器庫を「機械的速度」で補充するため、あるいは化学兵器（のちにほとんどの国が使用禁止に合意した）、戦艦、原始的な戦車を製造するための高度な方法も開発した。迅速な戦力動員によって優位に立つための入念な戦略を立案し、同盟国とは挑発を受けた場合に迅速かつ全面的に協調行動をとるという固い約束も交わした。

そんななかハプスブルク家の皇太子がセルビアの愛国主義者に暗殺された。本来世界的にそれほど重要ではなかったはずのこの事件をきっかけに、ヨーロッパの列強は計画に基づいて全面戦争に突入した。これが大勢の若者が命を落とす大惨事となり、しかも戦争に加わった国々で当初の目的を遂げたところは一つもなかった。三つの帝国が崩壊した。戦勝国ですら数十年にわたって欠乏に苦しみ、国際的主導権を永遠に失った。硬直的な外交姿勢、高度な軍事技術、過剰反応的な動員計画が悪循環を生み、世界戦争の素地を整えるだけでなく、それを避けられないものにしてしまった。死者数があまりに膨大であったため、それを正当化するためにも妥協はできなくなった。

この大変動以降、主要国は軍事力強化に精力と規律と資源を注ぎ込んだにもかかわらず、戦略の混迷は深まるばかりだった。第二次世界大戦終結からその後の冷戦期にかけての数十年、二つの超大国は核兵器と大陸間ミサイルシステムの開発を競い合った。その圧倒的な破壊力と釣り合うような目的は、国家の生き残りをかけた重大な戦略くらいだろう。

ニューメキシコ州の砂漠地帯で行われた初の核兵器実験を目の当たりにした物理学者で「原爆の父」の一人でもあったJ・ロバート・オッペンハイマーが引用したのは、クラウゼヴィッツではなくヒンズー教の経典「バガヴァッド・ギーター」の一文だった。「われは死なり。世界の破壊者なり」。これは時代を象徴する兵器を使うことは許されない、という冷戦戦略の根本的矛盾を予言するような洞察だった。兵器の破壊力は戦略目的（国家の生き残りを除く）と釣り合わないままだった。

手段と目的との結びつきは、冷戦期を通じて損なわれたままだった。少なくとも両者のあいだに、兵器が戦略のあり方を規定するといった関係性はなかった。主要国は高度な技術力を持つ軍隊を整え、地域的および世界的な同盟体制を構築したが、そうした能力を互いに対して行使することはなく、小国や粗末な武器しか持たない武装勢力に対しても使わなかった。こうしてフランスはアルジェリアで、アメリカは韓国で、そしてアメリカとソ連はアフガニスタンで、苦渋を味わうことになった。

サイバー戦争とＡＩ

冷戦後の今日、主要国をはじめ各国は戦力のラインアップを拡充し、サイバー能力を追加した。サイバー能力の大きな強みは、その隠蔽性と否認性にある。情報操作、情報収集、妨害工作、従来型の戦闘などの判然としない境界上で使われるケースもあり、ドクトリン（軍事戦略の根本となる原則）もないままに戦略がつくられる。とはいえ、あらゆる進歩は新たな脆弱性と表裏一体だ。

ＡＩ時代には、戦略の混迷が人間の意図を超えてさらに深まるリスクがある。もしかすると人間の理解を完全に超えてしまうかもしれない。たとえ各国が「自律型致死兵器システム（ＬＡＷＳ、独自に標的を選定し、人間の承認なしに攻撃するよう訓練され、しかも攻撃する権限を与えられた全自動あるいは半自動ＡＩ兵器）」の全面的採用を控えたとしても、ＡＩによって通常兵器、核兵器、サイバー兵器の性能が強化される可能性がある。その結果、敵対する国同士の安全保障は予測や維持が難しくなり、衝突を抑えるのも困難になる。

ＡＩの防衛機能は複数のレベルにまたがっており、近い将来なくてはならないものになるだろう。すでにＡＩが操縦する戦闘機は、空中戦のシミュレーションで人間のパイロットを圧倒する能力を示している。アルファゼロの勝利やハリシンの発見を可能にしたのと同じ一般原則を活用すれば、ＡＩは敵が計画や認識さえしていない行動パターンを発見し、対応策を推奨するようになるかもしれない。危険地域の戦闘員が任務を遂行しつつ自らの安全を守るうえでは、自らの置かれた状況を理解したり、作戦本部に理解してもらったりすることが不可欠だ。ＡＩを使えば、戦闘員に対して同時通訳や重要情報の即時伝達が可能になるかもしれない。

主要国にとって、ＡＩが安全保障に及ぼす影響を無視することは許されない。戦略的ＡＩの優位性を確立する競争は、とりわけ米中のあいだで（部分的にロシアも加わり）すでに始まっている。[2] 他国が何らかのＡＩの能力を獲得しつつあるのではないかという情報（あるいは疑念）が広がるなか、より多くの国々が自らもその獲得を目指すようになる。こうした能力は一度どこかが身につけると、急速に普及する。高度なＡＩを創るのには相当なコンピューティング能力が必要だが、それを普及させたり操作したりするのには必要ない。

絶望しても、戦力を放棄しても、問題は解決しない。核兵器、サイバー、ＡＩの技術はすでに存在する。それぞれが戦略において重要な役割を果たすことも避けられない。発明を「なかったこと」にもできない。アメリカとその同盟国がこうした戦力の重大性の前に尻込みし、進歩を止めたからといって、より平和な世界が実現することはないだろう。むしろ最強の戦略的能力の開発と使用が、国民への説明責任や国際均衡といった概念を軽視して進められることになり、世界の均衡が崩れるはずだ。国益と道徳的義務という観点からも、ここはアメリカにとって譲れない、むしろ主導権を握るよう努力すべき領域だ。

こうした領域における進歩と競争は、伝統的な安全保障の概念を覆すような変革を引き起こすだろう。変化がどうにもならないところに到達してしまう前に、ＡＩに関する戦略ドクトリンを策定し、それを他のＡＩ勢力（国家に加えて準国家の勢力も含む）と比較する努力をしなければならない。これからの数十年は目に見えないサイバー戦争や大規模な情報操作、さらにはＡＩが生み出す特異な戦争を見据え、力の均衡を模索する必要がある。

現実主義に立脚すれば、ＡＩ大国は互いに競い合うだけでなく、ＡＩという並外れた破壊力を持ち、不安定化の原因となり、予測不可能な存在を開発・使用する際のリミットを設定するよう努めるべきだ。ＡＩをめぐる軍備管理に真剣に取り組むことは、国家の安全保障にマイナスではない。むしろ人間の未来というコンテクストのなかで、安全保障を実現するための取り組みとなる。

核兵器と抑止力

これまでは新たな武器が登場すると、軍は軍備に追加し、戦略家は政治目的に沿って使用できるようにドクトリンを策定した。核兵器の登場によって、この結びつきが途絶えた。

人類初の、そして今日に至るまで唯一の核兵器の使用は、アメリカが一九四五年に広島と長崎で行ったもので、それは太平洋地域での第二次世界大戦を直ちに終わらせた。まさに歴史の転換点だった。世界の主要国は核兵器の技術を習得し、軍備に取り入れようとするなかで、かつてないほどオープンかつ熱心に、核兵器を使用することの戦略的および倫理的意味を検討した。

当時存在した他の兵器とは比較にならないほどの破壊力を持った核兵器は、人類に根本的問いを突きつけた。この恐ろしく破壊的な兵器を、何らかの基本原則やドクトリンによって伝統的な戦略のなかに位置づけることはできるのか。核兵器の使用によって、全面戦争や相互破壊を引き起こさずに政治目的を実現することはできるのか。原爆を調整しながら、状況に応じて戦術的に使用することはできるのか。

これまでのところ、この問いの答えは「どちらともいえない」と「ノー」のあいだあたりだ。アメリカは核戦力を独占していた短い期間（一九四五〜四九年）、それに続いて他国より圧倒的に優れた核ミサイルシステムを保有していた期間のいずれにおいても、第二次世界大戦後の紛争において核兵器を使用するための戦略的ドクトリンや倫理基準を一度も策定しなかった。

その後も核を持った国々のあいだで明確なドクトリンが合意されることはなく（ドクトリンがあったとしても同じだったかもしれないが）、政策立案者には核兵器が「限定的に」使用された場合何が起こるのか、限定的使用で済むのか、見当もつかなかった。今日に至るまでそうした取り組みは行われていない。

一九五五年に台湾海峡で砲撃事件が起きた際、アメリカのアイゼンハワー大統領は当時まだ核保有国ではなかった中国に自制を求めようと、こんな言葉で脅しをかけた。「(アメリカが) 銃弾その他の兵器とまったく同じように」戦術核兵器を使わない理由はない、と。[3] それから七〇年あまりがたったが、このアイゼンハワーの言葉を実行に移した国はない。

むしろ冷戦期を通じて核戦略の最大の目的は「抑止力」だった。核兵器を使用する意思を示すことを通じて、敵が戦争を始めたり、そこで核兵器を使ったりという行動をとらないようにする、という使い方だ。核抑止力の本質は、消極的目的のための心理的戦略だった。反撃するぞと脅しをかけることで、敵を「行動しない」よう説得することを目指していた。この戦略がうまくいくかは、国家の物理的装備と無形の要素にかかっている。潜在敵国の心理状態と、それを操るこちらの能力だ。

抑止力という視点に立つと、弱く見えることには実際の装備不足と同じ弊害がある。はったりでも相手に真剣に受け止められれば、相手に無視されるような本気の脅迫よりも抑止効果がある。抑止する側には危機がどのように、どれほどの余裕を持って防げたのかわからない。(少なくともこれまでのところ) 検証不可能な抽象的思考に基づいているという点において、核抑止力は特異な安全保障戦略といえる。

こうした矛盾があるとはいえ、核兵器は国際秩序の基本概念のなかに組み込まれた。アメリカが核兵器を独占していた時代には、アメリカの戦力が通常兵器による戦争を抑止し、自由社会あるいは同盟国に「核の傘」を提供していた。ソ連による西ヨーロッパへの侵攻は実現性や具体性が低かったとはいえ、アメリカが核兵器を使って止めにくる可能性によって抑止されていたのは確かだ。

ひとたびソ連が核保有という一線を越えると、両超大国の主な目的は相手による核兵器使用を抑止することになっていった。「サバイバル」核兵器（敵が先制攻撃を仕掛けた場合に反撃のために発射される）の存在は、核戦争そのものを抑止する役割を担っていた。超大国同士の戦いについては、目的を果たしたわけだ。

冷戦期の超大国は核軍備拡張に膨大な資源を投じたが、そのあいだにも軍備は日々の戦略行動から乖離していった。核兵器の保有に、中国、ベトナム、アフガニスタンといった非核保有国が超大国と戦うことを抑止する効果はなく、また中欧・東欧がソ連のくびきから独立を要求することを止める効果もなかった。

朝鮮戦争の時点では、ソ連がアメリカ以外で唯一の核保有国であり、しかも核弾頭の数やミサイルシステムの面でアメリカが圧倒的に優位だった。それでもアメリカの政策立案者は核兵器の使用を控えた。核のエスカレーション（激化）がもたらす不確実性や倫理的批判を避けるため、ソ連陣営に付いた（今思えば当時の関係性は希薄だった）非核保有国の中国や北朝鮮の軍と第一次世界大戦のときと変わらない方法で戦い、数万人の犠牲者を出す道を選んだ。それ以降、非核保有国と戦う核保有国は、たとえ敗北するリスクがあっても常にアメリカと同じ道を選んだ。

この時代、政策立案者は戦略を求めなかった。一九五〇年代の大規模報復ドクトリンの下では、アメリカは核兵器か通常兵器による攻撃かにかかわらず、すべてに大規模な核攻撃で応じると脅していた。しかしどんな小さな戦闘でもすべてハルマゲドンに変えてしまうようなドクトリンは、心理的にも外交的にも維持することは難しく、効果的ではない面もあった。

そこで戦略専門家のなかには、限定核戦争で戦術核兵器の使用を認めるようなドクトリンを推す声もあった。[4] だがそうした提案はエスカレーションや制限をめぐる懸念から立ち消えになった。政策立案者は、戦略専門家が提案するドクトリンの方向性はあまりに現実味に欠け、戦闘が世界規模の核戦争に発展するのを止めることはできないと恐れた。その結果、たとえ人類が戦時中でも経験したことがないほど悲惨な状況が起きても、核戦力の重点は引き続き抑止力と脅威の信憑性を保つことに置かれた。

アメリカは敵から予想外の先制攻撃を受けても徹底的な報復をする能力がそがれないように、地理的に核兵器を分散させ、ミサイル発射装置のトライアド（戦略爆撃機、大陸間弾道ミサイル、潜水艦発射弾道弾の三つから成る戦略ミサイル攻撃力）を構築した。[5]一方ソ連は、人間のユーザーがスイッチを入れると敵の核攻撃を探知し、人間が追加的介入をしなくても反撃のミサイル発射命令を出すシステムの導入を模索したとされる。指揮機能の一部を機械に委ねる、戦争の半自動化という概念を先取りするものだ。[6]

政府や学界の戦略専門家は、防衛策をおざなりにしたまま核攻撃に依存する状況に不安を抱いていた。そこで少なくとも理論上は、核保有国の対立が起きた際に政策立案者が外交努力（それが難しければせめて情報収集や誤解を正す努力）をして、意思決定のための時間を稼げるような防衛システムを検討した。だが皮肉なことに、超大国の防衛システムを構築しようという努力は、それを突破するようなさらに強力な攻撃用兵器への需要を高めただけだった。

米ソの軍備が増強されるなかで、相手側の行動への予防策あるいは報復策として核兵器が実際に使われる事態はますます非現実的になり、抑止力という論理自体も成立しにくくなった。核戦略が手詰まりになったという認識から、新たなドクトリンが生まれた。脅威と皮肉の入り交じったようなその名を「ＭＡＤ（相互確証破壊）」という。

MADは核兵器の標的を減らしつつ、その破壊力を高めるという理論だ。想定される死者数が膨大であったため、核戦力はシグナリングの領域を出ないものとなった。たとえば重要なシステムや部隊の即応能力を整備する、核兵器発射に向けて段階的に準備を整え、敵に警告サインを送るといった措置だ。そうしたシグナルさえ、敵が誤解して世界的大惨事を引き起こさないように、めったに発信されることはなかった。

安全保障を追求するなかで、人類は究極の兵器とそれに付随する複雑な戦略ドクトリンを生み出した。その結果、核兵器がいつか使用されるかもしれないという不安が常に世界を覆うようになった。このジレンマをやわらげるために生み出されたのが軍縮という概念だ。

軍縮

抑止力が「核兵器を使うぞ」と脅しをかけることによって核戦争を防ごうとする戦略であったのに対し、軍縮は核兵器そのものを制限、もしくは廃止することによって核戦争を防ごうとする戦略だ。

このアプローチは核不拡散と対になっていた。さまざまな条約、技術的予防策、規制その他の管理メカニズムに支えられた核不拡散とは、核兵器やその開発に必要な情報や技術が、すでに核を保有している国以外に広がるのを防がなければならないという考え方だ。過去を振り返っても、軍縮や不拡散措置がこれほどの規模で講じられた兵器はない。ただ、今日に至るまで、どちらも完全な成功を収めたとは言い難い。また冷戦終結後に発明された新たな兵器のカテゴリーであるサイバーとAIについては、軍縮や不拡散に真剣に取り組む動きは見られない。しかし核、サイバー、AIといった分野に触手を伸ばす国が増えるなか、軍縮期の教訓は依然として有効性を失っていない。

核をめぐる瀬戸際政策、そしてあやうく戦争になりかけたキューバミサイル危機（一九六二年一〇月）を経て、アメリカとソ連という二つの超大国は外交を通じた核開発競争の抑制に乗り出した。互いの軍備が拡大し、さらに中国、イギリス、フランスの核も抑止力の計算に含めるべき状況になり、米ソ両政府は担当者に本格的な軍縮交渉の権限を与えた。戦略的均衡の維持という目的に合致するような核兵器の数と能力の限界値を慎重に探ったのだ。

最終的に両者は攻撃用核兵器だけでなく、（平和を守るためには脆弱性が必要である、という矛盾に満ちた抑止力のロジックに従って）防衛能力も抑えることで合意した。その結果が一九七〇年代の戦略兵器制限交渉と弾道弾迎撃ミサイル制限条約、そして最終的に一九九一年の戦略兵器削減条約（ＳＴＡＲＴ）に結実した。いずれにせよ攻撃用兵器にシーリングを設けたことで、超大国の互いを破壊する能力とそれがもたらすとされる抑止力が維持されると同時に、抑止力という戦略によってさらなる軍拡も抑えることができた。

米ソ両政府は依然として敵対し、戦略的優位性の獲得に向けたせめぎ合いは続いたが、軍縮交渉によって自らの計算にある程度の確証は持てるようになった。互いの戦略能力をきちんと相手に知らせ、基本的制限と確認システムについて合意することで、相手が突然核兵器というカテゴリーでの優位性を獲得して先制攻撃に出てくるのではないかという不安を解消しようとしたのだ。

こうした取り組みはやがて互いに自制を求めるという目的を超えて、さらなる核拡散の積極的防止へと発展した。一九六〇年代半ば、米ソは複数の取り決めやメカニズムに基づき、当初の核保有国以外が核兵器を入手・保有することを禁止する体制の構築に乗り出した。核兵器を持たないと誓約した国は、その見返りに再生可能エネルギー源として核技術を活用するための支援を受けられる。こうした成果が実現した背景には、政治、文化、そして冷戦期の指導者たちが核兵器に対して同じ思いを共有していたことが挙げられる。主要国同士の核戦争は、勝者、敗者、傍観者の区別なく取り返しのつかない判断や類のないリスクを引き起こす、という認識だ。

核兵器は政策立案者に二つの相互に関連する、厄介な難題を突きつけた。「優位性をどう定義するか」、そして「劣勢をどう定義するか」だ。

二つの超大国が地球を何度も破壊し尽くせるだけの兵器を保有している時代における「優位性」とは、いったい何を意味するのか。核軍備が構築されて恒久的に配備されると、さらなる兵器の獲得、それによる優位性の獲得、そうした軍備の目的との関連性はわかりにくくなる。そんななか複数の国が独自にささやかな核軍備を整えた。他国からの攻撃を抑止するためには、相手に勝利はできなくても、圧倒的破壊を引き起こす核戦力さえあればいいと計算してのことだ。

核の不使用は本来、恒久的な取り決めではない。各世代の指導者たちが、人類史上最も破壊的兵器の数量や能力を、圧倒的速さで進化するテクノロジーに合わせて調整しながら、なんとか保たなければならない状態である。戦略ドクトリンも民間人を意図的に攻撃することへの意識もまるで異なる新興勢力が核軍備を整えようとし、抑止力の方程式がますます複雑かつ不確実になるなか、それは一段と困難な課題になっている。そしていまだにこの戦略的パラドクスを解決できない世界に、新たな能力とそれに付随する難題が現れている。

一つがサイバー戦争だ。それは当事者の脆弱性を高めると同時に、戦略的競争のフィールドと選択肢を広げた。二つ目がＡＩで、それは通常兵器、核兵器、サイバー兵器の戦略を一変させる力を秘めている。こうした新たな技術の台頭は、核兵器をめぐるジレンマをさらに難しくしている。

デジタル時代の戦争

歴史を通じて国家の政治的影響力はその軍事力と戦略能力、すなわち（主に暗黙の脅迫手段にしかならなくても）他の社会にダメージを及ぼす能力にほぼ比例していた。

しかし戦力の計算に基づく均衡は、静的なものでもなければ自動的に維持されるものでもない。第一に、均衡は戦力の構成要素とその使用の正当な範囲に関する合意に基づいている。第二に、均衡を維持するためには各国の相対的能力や意図、さらには攻撃した場合の影響度について、システムの全構成員、特にライバル国のあいだで評価が一致していなければならない。最後に均衡を維持するためには、誰もが認識しうる力の均衡が、現実に存在している必要がある。特定の構成員が他者に対して不相応に戦力を拡大したら、システムは対抗勢力を組織するか、新たな現実を受け入れるかによって調整を試みる。均衡の計算がわかりにくくなる、あるいは相対的力関係に関する各国の計算に大幅な食い違いが生じると、誤算による衝突のリスクはピークに達する。

そして今、こうした計算はまた新たな抽象化の領域に入った。そこにはいわゆるサイバー兵器という新たなカテゴリーが含まれている。兵器に加えて民間での一般的使用という二重の用途を持ち、それゆえに兵器としての位置づけが曖昧だ。サイバー兵器の有効性は、使い手がその存在や自らの能力の全体像を明らかにしないことから生じているケースもある。従来、戦いの当事者は衝突が起きたか否か、そして攻撃者が誰かを容易に見極めることができた。敵の能力を計算し、どれくらいの速度で戦力を動員できるかを評価することもできた。こうした従来の常識を、サイバー領域にそのまま当てはめることはできない。

通常兵器や核兵器は物理空間に存在していたので、その配備状況を確認し、少なくとも大まかな能力を計算できた。対照的にサイバー兵器が有効である大きな理由は、その不透明性にある。存在が明らかになると、実質的に能力が低下してしまう。

サイバー兵器はそれまで明らかになっていなかったソフトウエアの欠陥につけ込み、アクセス管理者の知らぬ間に許可なくネットワークに侵入する。(通信システムなどを対象とする)分散型サービス妨害(DDoS)攻撃は、一見有効な情報リクエストを大量に送信することでシステムを応答できなくし、当初の目的に使えなくすることが狙いだ。そうしたケースでは攻撃が本当はどこから来ているのかが隠され、攻撃者を特定できなくなっている(少なくとも即座に特定はできない)。イランの核施設の製造用制御システムをサボタージュした「スタクスネット」のような有名な事例でも、正式に攻撃を認めた政府はひとつもない。

通常兵器や核兵器は比較的正確に標的を設定でき、道義的および法的責任を考慮して軍隊や軍事施設を標的にすることになっている。一方、サイバー兵器は広範なコンピューティング・システムや通信システムに影響を及ぼし、民間システムに強烈な打撃を与えることも多い。開発国とは別の国などが取り入れ、修正し、再利用もできる。サイバー兵器は意図しない、そして予想もしなかった被害を引き起こす生物兵器や化学兵器に似ている面もある。こうした兵器は戦場の特定の標的ではなく、社会の広範な領域に影響を及ぼすことが多い。[7]

サイバー兵器の特性を考えると、サイバー軍縮の実現は難しい。核兵器の軍備管理の場合、核弾頭の配備状況を開示しても、その威力が損なわれることはなかった。サイバー兵器の軍備管理交渉では(今のところそのような場は存在しないが)、サイバー兵器の能力を議論すると、能力そのものが損なわれる(敵が対策を講じられるため)、あるいは拡散する(敵がコードや侵入方法をまねできるようになるため)という矛盾を克服しなければならない。

主要なサイバー用語や概念が曖昧であることも、状況をさらに複雑化している。ネットワークへの侵入、ネット上のプロパガンダ活動、情報戦争にはさまざまな形態があり、それをさまざまな評論家がさまざまな文脈で「サイバー戦争」「サイバー攻撃」「戦争行為」などと表現する。ただ用語の定義は定まっておらず、使用法に一貫性がない。

情報収集を目的とするネットワークへの侵入のような活動は、スケールはまったく違うが、伝統的な諜報活動と類似しているかもしれない。ロシアなどが実施したソーシャルメディアを通じた選挙介入といった攻撃は、過去と比べて範囲や影響度が大きいプロパガンダ、偽情報、政治介入のデジタル版といえる。こうした攻撃が可能になったのは、選挙活動が展開されるネットワーク・プラットフォームやデジタルテクノロジーの規模がきわめて大きいためだ。さらにサイバー攻撃のなかには、伝統的戦争のときと同じように、物理的被害を引き起こす能力を持つものもある。

サイバー攻撃の性質、範囲、属性が明確ではないために、戦争が始まったのか、相手は誰か（または何か）、戦争のエスカレーションの度合いはどの程度かといった、一見当たり前と思われる要素ですら議論の対象となる。そうした意味では、性質や範囲を明確に定義することはできないものの、主要国はすでに今、ある種のサイバー戦争状態にあるといえる。[8]

私たちが身を置くデジタル時代の重大なパラドクスは、デジタル能力が高まるにつれて社会は脆弱になっていくということだ。コンピューター、通信システム、金融市場、大学、病院、航空会社、公共交通システム、さらには民主政治を支えるメカニズムなど、あらゆるシステムは程度の差こそあれサイバー操作やサイバー攻撃に対して脆弱だ。先進国経済では発電所や送電網にデジタル指揮管理系統を採用し、政府のプログラムを大規模なサーバーやクラウドシステムに移行し、データは電子台帳に移しており、それにともなってサイバー攻撃への脆弱性は増している。攻撃する側から見れば標的はより取り見取りで、攻撃が成功すれば甚大な被害が生じかねない。反対にローテク国家、テロ組織、さらには個人の攻撃者は、たとえデジタル攻撃を受けたとしても自分たちが失うものは比較的少ないと考えるだろう。

サイバー能力を整えて活動するコストは比較的低く、しかもサイバー活動には比較的否認しやすいものもあることに目を付けた一部の国家は、国家の息のかかった半自治組織にサイバー活動を委託するようになった。こうした組織は第一次世界大戦直前のバルカン半島で跋扈《ばっこ》した準軍事組織に似て、管理するのは難しく、国家権力から認可を受けずに挑発行為に及ぶ可能性もある。（武力を使った従来型戦争までには発展しなくても）国家のサイバー能力の重要な部分を無力化したり、あるいは国内の政治状況を攪乱《かくらん》したりするような情報漏洩者や妨害者の存在もあり、サイバー領域のスピードや予測不可能性は高まり、さまざまなプレーヤーが入り乱れている。こうした状況から、政策立案者は決定的打撃を未然に防ぐには先制行動が必要だと考えるかもしれない。[9]

サイバー領域のスピードと曖昧さは攻撃に適していることから、敵の攻撃を妨害し、予防することを目的とする「アクティブ・ディフェンス（積極的防衛）」「ディフェンディング・フォワード（前方防衛）」といった概念が生まれた。[10] サイバー抑止力がどれほどの有効性を持ちうるかは、防衛側が抑止しようとする対象や、成功をどう測るかによって決まる部分もある。特に効果的な攻撃の多くは、伝統的な武力衝突の定義には当たらないレベルで始まるものだ（すぐに攻撃とわからない、あるいは攻撃者が正式に認めない場合が多い）。

サイバー空間では政府か非政府組織かにかかわらず、自らの能力や活動を完全に開示する主要プレーヤーはいない。他者の行動を抑止するための開示すら行われない。新たな能力が出現していても、戦略やドクトリンは影の領域で不確かなまま変化していく。

私たちは今、新たな戦略的フロンティアの入り口にいる。そこで求められるのは体系的研究、競争力のある安全保障能力を確保するための政府と産業界の緊密な連携、そして（将来的に、適切な安全措置を講じたうえで）許容される限界をめぐる主要国同士の議論だ。

ＡＩと安全保障の混乱

圧倒的破壊力を持つ核兵器、えたいの知れないサイバー兵器に、本書でここまで紹介してきた人工知能の原理にのっとった新種の兵器が加わろうとしている。ひそかに、ときには試験的に、だが明らかに熱意を持って、各国は幅広い軍事能力において戦略行動を支援するようなＡＩの開発と活用を進めている。それは安全保障政策の抜本的改革を引き起こす可能性がある。[11]

軍事システムとプロセスへの非人間的ロジックの導入は、戦略を一変させるだろう。ＡＩを使って訓練を積んだ、あるいはＡＩをパートナーとする軍隊やセキュリティーサービスは、人間の意表を突く、そしてときには混乱させるような洞察や影響力を手に入れるだろう。このようなパートナーシップは、伝統的な戦略と戦術のさまざまな側面を無効化することもあれば、明らかに強化することもあるだろう。

ＡＩに（攻撃用あるいは防御用の）サイバー兵器、あるいは戦闘機などの物理的兵器のコントロールをある程度委ねれば、人間が苦労して行ってきたさまざまな任務を苦もなく遂行するかもしれない。アメリカ空軍のＡＩ「ＡＲＴＵμ」は、すでに試験飛行中に戦闘機を操縦し、レーダーシステムを運用している。ＡＲＴＵμのケースでは、開発者はＡＩ

が人間の介入なしに「最終判断」を下せるよう設計したものの、その能力を戦闘機の飛行とレーダーシステムの運用のみに制限した。[12] しかし他国やその設計チームは、ＡＩにそのような制限を課さないかもしれない。

戦略を一変させる可能性に加えて、ＡＩの自律性と独立したロジックは計算不可能なレイヤーを生み出す。伝統的な軍事戦略や戦術は敵が人間であることを想定しており、その行動や意思決定は理解可能な枠組みに収まるもの、あるいは経験や常識によって決まるものだった。だがＡＩが戦闘機を操縦したり、標的を探したりするときにはＡＩ独自のロジックに従う。それは敵には不可解で、従来のシグナルやフェイントという枠組みではとらえられないものかもしれない。しかもＡＩは人間の思考スピードを上回るペースで任務を遂行していく。

戦争は常に不確実性と偶然性が支配する領域だったが、ＡＩが加わることで新たな次元に移行するだろう。ＡＩは動的かつ創発的で、ＡＩが設計あるいは操縦する兵器を生み出した国でさえ、それがどれほど強力で、特定の状況でどのような働きをするかを正確に把握することはできない。人間が認識できない、あるいはＡＩほどすばやく認識できない要素に対して、また人間の思考では追いつかないようなスピードで学習・変更できる要素に対して、ＡＩはどのような攻撃あるいは防衛戦略を立てるのか。ＡＩを使った兵器の効果が、ＡＩが戦闘中に何を認識し、どのような結論を導き出すかによって決まるなら、兵器の戦略的効果は使ってみるまでわからないのではないか。ライバル国がひそかにＡＩを訓練したら、わが国の指導者は軍拡競争で優勢なのか劣勢なのか、(戦争せずに) 把握できるのか。

伝統的戦争において敵の心理に影響を及ぼすことは、戦略行動の重要な目的だった。アルゴリズムは与えられた指示と目的を理解するだけで、道徳観や疑念は持たない。ＡＩは遭遇した現象に適応することから、二つのＡＩ兵器システムが敵味方として戦うことになったとき、相互作用によってどのような結果や副次的影響が起こるか、どちらにも正確に理解することはできない可能性が高い。相手の能力や戦争を始めることの弊害も、おそらく正確に理解することはできない。

こうした制約があるがゆえに、ＡＩの技術者や開発者は速度、影響範囲、持続性を重視する可能性がある。それによって戦争は激化し、影響は広範囲に及び、何より一段と予測不可能になる。

ただＡＩ時代においても、強固な防衛が安全保障の必須条件となることに変わりはない。誰もが新たな技術を採用せざるを得なくなり、一方的にそれを放棄する選択肢はない。ただ各国政府は戦力を整える傍ら、ＡＩロジックを戦場における人間の経験と組み合わせると、戦争がどのように人道的かつ正確になるかを見極め、それが外交や世界秩序にどのような影響を与えるかを考えるべきだ。

ＡＩや機械学習によって既存の各種兵器の能力が強化されるため、各国の戦略的・戦術的選択肢は変化する。ＡＩは通常兵器がより正確に標的を狙えるようにするだけでなく、これまでは考えられなかったようなかたちで通常兵器を標的にしてしまう。（少なくとも理論上は）特定の場所ではなく、個人あるいは対象物を狙い撃ちすることも可能になる。[13]

ＡＩを使ったサイバー兵器は膨大な情報を取り込み、相手の守りを突破する方法を学習する。攻撃対象となるソフトウエアの欠陥を、人間がわざわざ探す必要はない。同じ理屈で、攻撃される前にソフトウエアの欠陥を特定し、修正するなどＡＩを防衛力強化に使うこともできる。ただ標的は攻撃者が自由に選べるので、ＡＩを使うと攻撃側が優位になる（克服できないほどの優位性ではないが）。

敵国がＡＩを訓練し、戦闘機の操縦や標的の決定と発射を完全に委ねたとしたら、それは国家の戦術、戦略、あるいは（核兵器など）強力な武器への依存度の面で、どのような変化をもたらすのか。

情報空間ではＡＩによって、偽情報という領域を含む新たな能力の地平が拓かれていく。生成的ＡＩは真実味のありそうな虚偽情報を大量に生み出す。とりわけ自由社会において、ＡＩが合成した人格、写真、動画、スピーチを使った偽情報や心理戦が人々を動揺させ、新たな脆弱性を生み出そうとしている。本物と見紛《みまご》う合成写真や、公人の発言を捏造する動画がすでに広く共有されている。理論的にＡＩは、人々の持つ偏見や期待に合わせて最も効果的な合成コンテンツを届けられる。敵が国家指導者の合成画像を使って社会の不協和を煽ったり誤解を招くような指示を出したりしたら、国民（政府関係者や官僚も）はそれが偽物であると見抜けるだろうか。

核兵器とは異なり、ＡＩの使用法については広く共有された禁止事項や、抑止力（あるいはエスカレーションの度合い）に関する明確な考え方は存在しない。アメリカのライバル国ではＡＩを使った物理的兵器やサイバー兵器の開発が進み、すでに使用している国もあるとされる。[14] ＡＩ列強は機械やシステムを活用し、その迅速なロジックや創発的で変化する行動を攻撃、防衛、偵察、偽情報の拡散、相手のＡＩの特定と無効化に応用できる状態にある。

革新的なＡＩ能力が変化・拡散していく一方、検証可能なルールが存在しない状況のなか、主要国は今後も優位性の確立に向けた努力を続けるだろう。[15] 新たに有益なＡＩ能力が登場すれば、拡散するのは当然だ。そうした技術は民生用と軍事用の両方の用途があり、またコピーや送信も容易であることから、ＡＩの基本機能や重要なイノベーションのほとんどは公開されるだろう。

ＡＩが管理下に置かれているケースでも、完全に管理することは難しいかもしれない。テクノロジーの進歩によってＡＩが時代遅れになることもあり、また絶対に手に入れようとする者なら侵入する方法をなんとか見つけるからだ。新たなユーザーはＡＩの土台となるアルゴリズムを、まったく新しい目的に使うかもしれない。ある社会で誕生した商業用イノベーションが、別の社会ではセキュリティー、あるいは情報戦争のために使われることもありうる。先端的ＡＩの開発で生み出された戦略的に重要な機能は、国益のため政府にも頻繁に取り入れられるようになる。

サイバー空間における力の均衡や、ＡＩ抑止力を具体化しようとする試みは、まだ緒に就いたばかりだ。こうした概念が定義されるまでは、計画は抽象的なものにとどまるだろう。国家間の衝突においては、まだ威力が十分に理解されていない兵器の使用、あるいはその可能性をちらつかせることで、敵の戦意を挫こうとする動きも出てくるだろう。最も衝撃的で予想不可能な事態が起こりそうなのは、人工知能と人間の知能が衝突する場面だ。

歴史を振り返ると、戦争に臨む国々は敵のドクトリン、戦術、戦略的思考を完璧とはいかないまでも理解はできた。これによって敵に対峙する戦略・戦術を立てたり、国境付近での戦闘機の飛行や争点となっている水路での戦艦の航行といった、目に見える象徴的軍事行動をとったりできるようになった。

だが軍が偵察や戦闘のための計画、標的の決定、あるいは補助的役割にＡＩを取り入れると、ここに挙げたようななじみある概念や相互作用も従来とはまったく違ったものになる。方法論も戦術も人間とはまるで異なる知能とのコミュニケーションや解釈が必要になるからだ。

ＡＩあるいはＡＩを使った兵器や防衛システムに移行するのは、人間とは根本的に異なる経験的パラダイムに基づく、高度な分析能力を持つ知能にある程度依存する（極端なケースでは全面的に権限を移譲する）ことを意味する。そのような依存関係は未知のリスク、あるいはよく理解されていないリスクをともなう。だからこそ殺傷リスクのあるＡＩの行動の監視と管理には、人間のオペレーターを介在させなければならない。人間が介在することですべてのミスを防ぐことはできなくても、少なくとも道徳と説明責任は守られるだろう。

とはいえ最も難しいのは、哲学的問題かもしれない。戦略の遂行がＡＩには理解できても人間の理性の限界を超える概念的・分析的領域で行われるようになったら、そのプロセス、影響力の及ぶ範囲、真の目的も不透明になる。政策立案者が敵（独自のＡＩを有している可能性がある）の能力や意図を理解して迅速に対応するためには、ＡＩの助けを借りて現実のパターンを深く理解する必要があると判断した場合、重要な判断を機械に委ねることが当たり前になる。

機械に何を委ねるべきか、どのようなリスクや弊害なら許容できるかという本能的限界は、社会によって異なる可能性が高い。主要国はこうした変化が戦略、ドクトリン、道徳に及ぼす影響についての議論を、危機が実際に起こるまで先送りすべきではない。危機が起きてからでは取り返しがつかない。国際社会が協力し、リスクに歯止めをかけることが必要だ。

AIを管理する

このような問題はインテリジェント・システムが敵同士として戦うような状況が起こる前に検討し、理解する必要がある。サイバー能力やＡＩ能力の戦略的使用が進むなかで、戦略的対立の舞台がこれまで以上に広がることからも検討は急務だ。

伝統的戦場に加えて、デジタル・ネットワークがつながっているところならどこでも戦場になりうる。ますます大規模で多様な物理的システムがデジタルプログラムによってコントロールされるようになったうえに、システム同士がネットワーク化されている（ときにはドアの鍵や冷蔵庫に至るまで)。その結果、驚くほど複雑で、広大で、脆弱なシステムが生まれている。

ＡＩ大国のあいだで何らかの理解を醸成し、相互に制限を課すことが重要になる。コンピューター・コードを変更することでシステムや能力を簡単に、周囲に悟られずに変更できる状況では、敵は戦略的に重要なＡＩの研究、開発、採用を公に認めている以上に(ときには内々に交わした約束以上に)進めようとしていると想定するのが当然だ。純粋に「技術的」に見れば、ＡＩを使った偵察、標的設定、自律的殺傷という行為の境界を超えるのは比較的簡単だ。だからこそ相互の制限や確認体制を整えることが困難であると同時に必須なのだ。

安全と制限を追求する試みにおいては、ＡＩの動的な性質が壁となる。ＡＩを活用したサイバー兵器が現実世界にリリースされると、設計者の意図した目標を上回って適応や学習が進む可能性がある。ＡＩが自らを取り巻く環境に反応するなかで、兵器の能力そのものが変化するかもしれない。兵器が開発者の予想やもくろみとは異なる規模や特徴を獲得する可能性があるならば、抑止力やエスカレーションの計算など幻になってしまう。

こうした理由から、設計段階と実用段階の双方においてＡＩが遂行できる活動の幅は、システムがおかしな動きをするようになった場合に、人間が停止か修正できるように調整しておく必要がある。予想外の悲惨な事態の発生を防ぐため、そのような規制には相互性を持たせなければならない。

ＡＩ能力やサイバー能力に課すべき制限を定義するのも、こうした能力の拡散を捕捉するのも難しい。主要国が開発・使用する能力が、テロリストやならず者の手に落ちるおそれはある。核兵器を保有せず通常兵器も貧弱な小規模国家が最先端のＡＩやサイバー兵力に投資することで、一気に影響力を高めることもできる。

各国が今後、生死にかかわらない個別のタスクを（民間が運用するものも含めて）ＡＩアルゴリズムに委ねていくのは必然だ。そこには、たとえばサイバー空間への侵入を探知・予防するといった予防的機能も含まれる。高度にネットワーク化されたデジタル社会の「アタック・サーフェス（攻撃対象領域）」は、人間のオペレーターが手作業で守るには広すぎる。人間の生活の多くの側面がオンラインに移行し、経済のデジタル化が進むなかで危険なサイバーＡＩが登場すれば、産業そのものが破壊されかねない。国家、企業、さらには個人も、そのようなシナリオから身を守るためにフェイルセーフ策（訳注・故障が起きた際に自動的に安全側に移行する）に投資すべきだ。

自己防衛策の最も極端なかたちが、ネットワークとのつながりを断ち、システムをオフラインにすることだ。国家にとってはネットワークの切断が国防の究極のあり方といえるだろう。そこまで極端な対策をとらない場合、サイバー空間の圧倒的な広がりやそこでの行動の選択肢が無限大であることから、サイバー防衛の中核的役割を担えるのはＡＩだけになる。このためこの領域における最も重要な防衛能力は、ひとにぎりの国家しか手の届かないものになる可能性が高い。

ＡＩを活用した防衛システムの先にあるのは、兵器のなかでもとりわけ厄介なカテゴリー、すなわち自律的致死兵器システムだ。ここにはひとたび起動すると、人間の介入なしに標的を選択して攻撃するシステムが含まれる。[16] この分野でカギを握るのは、人間による監視と適宜介入する能力だ。

自律システムには、人間が受動的に活動を監視する「オン・ザ・ループ」型と、特定の行動に人間の承認を必要とする「イン・ザ・ループ」型がある。当事者が互いに合意し、順守し、確認できる仕組みによって制限しなければ、最終的にイン・ザ・ループ型兵器システムが国境の防衛、敵に対する特定の成果の実現といった戦略と目的のすべてを担い、人間がほとんど関与しなくても遂行するようになるかもしれない。

このような分野では武力行使の監視と指揮に人間の判断を適切に組み込むことが不可欠だ。ただ一つの国だけ、あるいは少数の国だけに制限をかけても意味がない。技術先進国の政府は、強制力のある確認体制を含めた相互に制限をかける仕組みを模索すべきだ。[17]

AIによって、先制攻撃や拙速な行動が戦争にエスカレートする内在的リスクは高まる。敵が自動兵器を開発しているのではないかと恐れている国は、先手を打とうとするだろう。その攻撃が「成功」したとしても、攻撃が正当なものであったか確認するすべはない。主要国は意図せざるエスカレーションを防ぐために、検証可能な制限という枠組みのなかで競争すべきだ。

交渉は軍拡競争を抑えるだけでなく、互いに相手のしていることを大まかにでも理解できるようにすることに重点を置くべきだ。ただどちらも、相手が安全保障にかかわる最も重要な秘密は明かさないと想定する（そしてその認識に基づいて計画する）ことが必要だ。完全な信頼というものはありえない。ただ冷戦期の核交渉から明らかになったように、だからといって互いを理解することがまるで不可能というわけではない。

私たちがこうした問題を指摘するのは、AIが戦略分野に突きつける課題を明確にするためだ。核兵器時代を代表するさまざまな条約（およびそれに付随する情報交換、実施、確認のメカニズム）は多くの恩恵をもたらしたが、それらが成立したのは歴史的必然ではない。人々の主体性、そして両超大国が状況の危険性と自らの責任を認識した結果である。

民生用・軍事用技術への影響

伝統的に、軍事用領域と民生用領域を分ける要因は三つあった。技術的分化、集権的管理、影響度である。

完全に軍事用、あるいは完全に民生用のアプリケーションは「分化している」といわれる。集権的管理とは政府が容易に管理できる技術を指し、その反対が拡散しやすく、政府が管理できない技術だ。最後の影響度とは、技術の破壊力を指す。

歴史を通して、民生用と軍事用の両方で使われる技術はたくさんあった。また容易かつ広範囲に拡散する技術、途方もない破壊力を持つ技術もあった。ただ今日に至るまで三つの要素をすべて兼ね備えた技術、すなわち官民の両方で使われ、拡散が容易で、しかも途方もない破壊力を持つ技術は存在しなかった。

市場に物資を運ぶ鉄道は、戦場に兵士を送るのにも使われたが、破壊力はなかった。核技術には両分野で使われるものも多く、破壊力も大きいが、インフラが複雑であるため政府が集中管理しやすかった。狩猟用ライフルは広く普及し、軍事にも民間でも使われているが、能力が限られているため戦略的レベルで破壊的用途に使われることはなかった。

ＡＩはこのパラダイムを突き崩した。言うまでもなく軍事と民生の両方で使われている。実質的にはコンピューター・コードにすぎないため、拡散は容易だ。（一部顕著な例外はあるものの）ほとんどのアルゴリズムはコンピューター一台で、あるいは小規模なネットワークで動かすことができ、それは政府がインフラのコントロールを通じて技術を管理するのが困難であることを示している。そして最後に、ＡＩの用途には相当な破壊力を持つものもある。こうした比較的ユニークな性質の取り合わせに加えて、多種多様なステークホルダーが存在することから、ＡＩはまったく新しい複雑な戦略的問題を生み出している。

ＡＩ兵器を使うと、とてつもないスピードでデジタル攻撃を仕掛けられるようになり、デジタル上の脆弱性を突く能力は劇的に高まる。このような場合、国家が攻撃の予兆を察知する時間など実質的にゼロだ。代わりに必要なのは即時対応能力とリスクの無効化である。[18] 資金力が豊富な国なら攻撃を監視し、反撃する権限を持つＡＩ搭載システムを構築することで、攻撃が本格化する前に迅速に対応する道を選ぶかもしれない。[19]

一方の相手側は、敵がそのようなシステムを保有しているという情報と、警告なしに行動を起こす可能性があるという認識に基づき、同タイプの技術あるいは異なるアルゴリズムに基づくシステムなど、さらなる戦力増強と計画にいそしむ。意識して共通の限界を設定しなければ、（たとえ人間が意思決定に関与できたとしても）二〇世紀初頭と同じように先手を打たなければという衝動が、賢明に行動しなければという理性を上回ってしまうかもしれない。

株式市場でAIアルゴリズムを使えば、どんな優秀なトレーダーよりも目ざとく市場のパターンを発見し、対応できることに注目してきたのが「クオンツ」と呼ばれる先端的企業群だ。クオンツ企業では一部の証券取引を実行する権限をアルゴリズムに委ねている。多くのケースで、アルゴリズムを使ったシステムは人間のトレーダーを大幅に上回る利益をあげる。しかしときにはとんでもない計算間違いもする。人間の史上最悪のミスですら軽々と凌駕するほどの失敗だ。

金融の世界ではそのようなミスによって運用資産が大打撃を被ることもあるが、人命が失われることはない。だが、戦略的領域で「フラッシュ・クラッシュ（大暴落）」並みのアルゴリズムの失敗が起これば大惨事になりかねない。デジタル領域の戦略的防衛に戦術的攻撃が必要になり、一方が計算ミスあるいは行動ミスを犯した場合、意図せずにエスカレーションのパターンが発動する可能性もある。

このような新たな能力を戦略や国際均衡といった既存の概念に組み込もうとする試みは、技術的優位性を確立するために必要な専門知識がもはや政府のみに集中していないという事実によって、一段と困難になっている。戦略的意味のある技術の開発には、昔ながらの政府の契約企業から、個人の発明家、起業家、スタートアップ、民間の研究所まで、さまざまな当事者や組織が関与している。そのすべてが「自らのミッションと連邦政府の定める国家目標は本質的に両立しうる」と考えているわけではない。

産業界、学術界、政府が相互に教育し合うプロセスがあれば、こうしたズレを橋渡しして、共通の概念的枠組みのなかでＡＩの戦略的意味にかかわる基本原則を共有することができるだろう。過去を振り返っても、これほど複雑で、問題の本質やそれを議論するための用語についてのコンセンサスが存在しない戦略的・技術的問題に直面した時代はあまりない。

核の時代に未解決のまま残されたのは、人類は戦略専門家が実行可能なドクトリンを策定することさえできないような技術を開発したという問題だ。ＡＩ時代のジレンマはそれとは異なる。この時代の中核的技術は幅広い当事者に獲得され、習熟され、採用されるだろう。相互に戦略的制限を課すこと、あるいは制限の定義を共有することだけでも、概念的にも実務的にもかつてないほど難しい。

核兵器を管理するという半世紀前の試みは、依然、不完全で断片的だ。しかし核戦力の均衡を評価するのは比較的単純だった。核弾頭は数えることができ、弾頭威力は既知の情報だった。対照的にＡＩの能力は固定的ではなく変化する。核兵器と違い、ＡＩは追跡が難しい。訓練が終わればコピーするのは簡単で、比較的小規模な機械の上でも動く。そしてＡＩの存在を察知したり、存在しないことを確認するのは、現在の技術では難しいか不可能だ。この時代の抑止力は複雑性から生まれる可能性が高い。たとえばＡＩを使った攻撃はありとあらゆる方向に向かう可能性があり、またＡＩの反応速度も予測不能だ。

ＡＩを管理するためには、それを責任ある国際関係の秩序にどう組み込んでいくかを戦略家が検討しなければならない。兵器を導入する前に、それを使用した場合の反復効果、エスカレーションの可能性と抑制の方法を理解すべきだ。共通の制限をともなう責任ある使用のための戦略が不可欠である。政策立案者には軍備、防衛技術、戦略、さらには軍備管理を、それぞれ時系列的に独立し、機能的には対立するステップとしてとらえるのではなく、並列で検討する努力が必要だ。ＡＩ兵器を使用する前に、ドクトリンの策定と意思決定があるべきだ。

では、制限の要件はどのようなものになるのか。言うまでもなく出発点となるのは、従来型の「能力」に対する制限だ。冷戦中はこの方法によって、少なくとも象徴的意味での進歩が見られた。制限が課された能力（核弾頭など）もあれば、カテゴリーそのものが明確に禁止されたケースもある（中距離ミサイルなど）。だがＡＩの根本能力やその数に制限をかけることは、民間分野での技術の普及や将来的進歩を不可能にする。ＡＩの「学習」や「標的設定」能力に焦点を絞った追加的制限を検討する必要がある。

アメリカはこうした課題を一部先取りするかたちで、「AI支援兵器」と「AI兵器」の区別を明確にした。前者は人間が行う戦争をより正確で、より殺傷力が高く、より効率的にするための技術であり、後者は殺傷に関する判断を人間のオペレーターの介入なしに自律的に行う技術だ。アメリカは前者の使用を制限する意図を明らかにした。そして後者については自国を含めていかなる国も保有しない世界を目指すとしている。[20]

賢明な区別だ。ただAIには学習し、変化する能力があることから、特定の能力を制限するだけでは不十分だ。AI支援兵器に対する制限の意味と方法を定義し、その制限を相互的なものにすることがきわめて重要だ。

一九世紀から二〇世紀にかけて、各国は戦争行為に一定の制限を設けた。たとえば化学兵器の使用、民間人を狙い撃ちすることなどだ。AIを兵器に応用すれば新たな戦争行為のカテゴリーが生まれたり、昔ながらの行為がかつてないほどの威力を持つことから、世界中の国々が人間本来の尊厳や道徳的主体性という概念に照らして許容できるものは何か、早急に決定しなければならない。安全保障にはすでに存在する事態に反応するだけでなく、来るべき事態を予測する姿勢が必要だ。

AIを使った兵器技術が突きつけるジレンマとは、国家の存続のためには研究開発の継続が不可欠である、ということだ。そうしなければ民間部門での競争力や存在価値を失ってしまう。しかし新たな技術は本来拡散するものであり、交渉を通じて制限を設定しようとする試みは、これまでのところ概念レベルですら進展していない。

新たな世界での昔ながらの探求

主要な技術先進国はどこも、自らが戦略的大変化のとば口にいることを理解する必要がある。その重要性は核兵器の登場に匹敵し、その影響はもっと多様で、拡散していて、予測不能だ。

ＡＩのフロンティアを開拓しつつあるすべての社会は、国家レベルの会議体を立ち上げ、ＡＩの防衛と安全保障にかかわる側面を検討し、ＡＩの開発と活用に影響を及ぼすさまざまなセクターを橋渡しする必要がある。この会議体に期待される機能は二つだ。一つは世界と伍していける競争力を維持すること、もう一つは望みもしないエスカレーションや危機を防ぐ、あるいは少なくとも制限する方法を調査することだ。それを土台として同盟国や敵対国と何らかの交渉を実施することが重要だ。

国際システムのパラドクスとは、すべての国家は自らの安全を最大化するために行動する意欲を持ち、またそうせざるを得ない一方で、絶え間ない危機を避けるためには全体的平和の維持に対してある程度の責任を引き受けなければならないということだ。このプロセスに欠かせないのが制限にかかわる共通認識だ。軍事戦略や安全保障の担い手は最悪のシナリオを想定し、それに対応するための能力獲得を最優先するだろう（それ自体は間違いではない）。一方、政治家は（軍事戦略や安全保障の担い手と同一人物かもしれないが）、そうした能力をどう使うか、その結果世界はどうなるかを考える義務がある。

ＡＩ時代には、長年常識とされてきた戦略ロジックも見直す必要がある。大惨事が起こる前に、やみくもに自動化を推し進めようとする欲求を克服する、あるいは少なくとも抑制する必要がある。人間の意思決定者を上回る速度で動作するＡＩが、戦略的影響の大きい、取り返しのつかない行動に出ることを防がなければならない。

防衛システムの自動化は、人間によるコントロールという必須要素を保ちつつ進めるべきだ。この領域に内在する曖昧さに、動的で創発的というＡＩの性質と拡散しやすさが加われば状況評価は難しくなるだろう。かつて自らの破壊的能力に制限をかけ、大惨事を回避する責任を担っていたのは、ほんのひとにぎりの列強、あるいは超大国だけだった。だがまもなくＡＩの拡散によって、はるかに多くの国々が同じ役割を担うようになる。

通常兵器、核兵器、サイバー能力にＡＩ能力という広範かつダイナミックな軍備を持つ現代の指導者が、その管理において果たすべき重大な任務は六つある。

第一に、ライバルあるいは敵対する国々の指導者は先達が冷戦期にしていたように、自分たちがどのような戦争は望まないかを定期的に話し合う必要がある。その下準備としてアメリカとその同盟国の政府は、本質的で侵すことの許されない共通の利益や価値観の下に団結すべきだ。しかもそれは冷戦終結後の世界しか知らない世代の経験を反映するものでなければならない。

第二に、核戦略の未解決の課題に再び関心を持ち、その本質に目を向けなければならない。それは人類にとって最大の戦略的、技術的、道徳的課題の一つである。過去数十年にわたり、燃え盛る広島と長崎の記憶によって、私たちは、核問題は特別かつ重大な問題であるという意識を持ちつづけてきた。アメリカの元国務長官のジョージ・シュルツは二〇一八年、連邦議会で「人々はあの恐怖感を失ったのではないかと危惧している」と語った。核保有国の指導者は、大惨事を防ぐために協力する責任があることを自覚すべきだ。

第三に、サイバー能力とAI能力で主導的立場にある国々は、自らのドクトリンと制限を定め（そのすべてを公表しないにしても）、そのうえで自らのドクトリンとライバル国のそれとの一致点を見つける必要がある。兵力の使用よりも抑止力を、戦争より平和を、全面戦争より限定的戦争を志向するのであれば、このような前提条件を理解する必要があり、またサイバーやAIの特徴を反映するような言葉で定義する必要がある。

第四に、核兵器を保有する国々は、指揮命令系統や早期警戒システムの内部監査をしっかり実施すべきだ。このような安全確認検査によって、サイバー攻撃や大量破壊兵器が不正に、不用意に、あるいは偶発的に使用されるのを防ぐのだ。このような検査には、核兵器の指揮命令系統、あるいは早期警戒システムへのサイバー攻撃を未然に防ぐための手段も含めるべきだ。

第五に、技術大国を中心に、各国は緊張感が高まった極端な状況下で意思決定にかけられる時間を最大化する方法を確立すべきだ。敵対する国同士はそれを共通の目標とし、短期的および長期的対策によって不安定な状況をコントロールし、相互の安全を確保すべきだ。危機に際して高度な武器を使うか否かの最終責任を負うのは、人間でなければならない。とりわけ敵対国のあいだで、意思決定が人間の思考、熟慮、さらには存続を可能にするようなペースで行われるようにするメカニズムを確立する努力が必要だ[21]。

最後に、主要なＡＩ大国は、軍事用ＡＩの拡散にどう歯止めをかけるか、外交と軍事的圧力によってどのように体系的な不拡散の取り組みを進めるべきか、検討する必要がある。

ＡＩを入手し、容認できない破壊的目的のために使おうとしている者は誰か。具体的にどのＡＩ兵器がこうした懸念を生んでいるのか。越えてはならない一線を守らせるのは誰か。既存の核保有国は核不拡散を目的に、同じような問いと向き合ってきた。成功したケースもあればしなかったケースもある。

破壊的で破滅的可能性を秘めた新たな技術が、攻撃的で倫理的歯止めの利かない国家の手に渡り、その軍隊の強化に使われたら、戦略的均衡の実現は難しくなり、戦争は制御不能なものになるおそれがある。

ほとんどのＡＩ技術には民生用と軍事用の二つの用途があることから、ＡＩ研究開発の最先端にとどまることは社会的責務だ。だがそれゆえに限界を理解する責務もある。危機が起きてからこうした議論を始めるのでは遅すぎる。

ＡＩのスピードからして、ひとたび軍事対立に使われたら外交努力が追いつかないペースでさまざまな事態を引き起こすのは間違いない。たとえ戦略的概念を表す共通の語彙や、お互いにとって越えてはならない一線を確認する程度の成果しか得られなくても、主要国はサイバー兵器やＡＩ兵器について議論の席に着かなければならない。お互いの破壊的能力に制限をかけるという意思を、実際に悲劇が起こる前に持つ必要がある。

人類はまったく新しい、進化しつづけるインテリジェントな兵器を生み出す競争に乗り出そうとしている。そこに限界を定めることができなければ、許されざる過ちとして歴史に刻まれるだろう。人工知能の時代における国家の優位性確立に向けた終わりなき探求は、人類を守るという倫理に根ざしたものでなければならない。

1　Carl von Clausewitz, *On War*, ed. and trans. Michael Howard and Peter Paret (Princeton, NJ: Princeton University Press, 1989), 75.（『縮訳版『戦争論』』カール・フォン・クラウゼヴィッツ著、加藤秀治郎訳、日本経済新聞出版、二〇二〇年）.

2　このダイナミクスの影響範囲は純粋な軍事分野を超えて広がっている。以下を参照。Kai-Fu Lee, *AI Superpowers: China, Silicon Valley, and the New World Order* (Boston and New York: Houghton Mifflin Harcourt, 2018)（『AI世界秩序：米中が支配する「雇用なき未来」』李開復著、上野元美訳、日本経済新聞出版、二〇二〇年）; Michael Kanaan, *T-Minus AI: Humanity's Countdown to Artificial Intelligence and the New Pursuit of Global Power* (Dallas: BenBella Books, 2020).

3　John P. Glennon, ed., *Foreign Relations of the United States*, vol. 19, *National Security Policy, 1955–1957* (Washington, DC: US Government Printing Office, 1990), 61.

4　Henry A. Kissinger, *Nuclear Weapons and Foreign Policy* (New York: Harper & Brothers, 1957)（『核兵器と外交政策』ヘンリー・A・キッシンジャー著、森田隆光訳、駿河台出版社、一九九四年）.

5　以下などを参照。Department of Defense, "America's Nuclear Triad," https://www.defense.gov/Experience/Americas-Nuclear-Triad/

6　以下などを参照。Defense Intelligence Agency, "Russia Military Power: Building a Military to Support Great Power Aspirations" (unclassified), 2017, 26–27, https://www.dia.mil/Portals/27/Documents/News/Military%20Power%20Publications/Russia%20Military%20Power%20Report%202017.pdf; Anthony M. Barrett, "False Alarms, True Dangers? Current and Future Risks of Inadvertent U.S. – Russian Nuclear War," 2016, https://www.rand.org/content/dam/rand/pubs/perspectives/PE100/PE191/RAND_PE191.pdf ; David E. Hoffman, *The Dead Hand: The Untold Story of the Cold War Arms Race and Its Dangerous Legacy* (New York: Doubleday, 2009).

7　たとえば二〇一七年にロシアの組織がウクライナの金融機関や政府機関に対して使用したマルウェア「NotPetya」は最終的に標的となった組織にとどまらず、ロシアを含めた発電所、病院、運輸業者、エネルギー企業に広がった。米国サイバースペース・ソラリウム委員会の議長であったアンガス・キング上院議員、マイク・ギャラガーは二〇二〇年三月のレポートでこう語っている。「血流に入り込んだ感染源のように、マルウェアはグローバルなサプライチェーンに乗っかって拡散した」。以下のレポートの八ページを参照。*Report of the United States Cyberspace Solarium Commission*, https://drive.google.com/file/d/1ryMCIL_dZ30QyjFqFkkf10MxIXJG T4yv/view.

8　Andy Greenberg, *Sandworm: A New Era of Cyberwar and the Hunt for the Kremlin's Most Dangerous Hackers* (New York: Doubleday, 2019); Fred Kaplan, *Dark Territory: The Secret History of Cyber War* (New York: Simon & Schuster, 2016).

9　Richard Clarke and Robert K. Knake, *The Fifth Domain: Defending Our Country, Our Companies, and Ourselves in the Age of Cyber Threats* (New York: Penguin Press, 2019).

10　以下などを参照。*Summary: Department of Defense Cyber Strategy 2018*, https://media.defense.gov/2018/Sep/18/2002041658/-1/-1/1/CYBER_STRATEGY_SUMMARY_FINAL.PDF.

11　全体像をわかりやすく示した資料として以下を参照。Eric Schmidt, Robert Work, et al., *Final Report: National Security Commission on Artificial Intelligence*, March 2021, https://www.nscai.gov/2021-final-report; Christian Brose, *The Kill Chain: Defending America in the Future of High -Tech Warfare* (New York: Hachette Books, 2020); Paul Scharre, *Army of None: Autonomous Weapons and the Future of War* (New York: W. W. Norton, 2018).

12　Will Roper, "AI Just Controlled a Military Plane for the First Time Ever," *Popular Mechanics*, December 16, 2020, https://www.popularmechanics.com/military/aviation/a34978872/artificial-intelligence-controls-u2-spy-plane-air-force-exclusive.

13　以下などを参照。"Automatic Target Recognition of Personnel and Vehicles from an Unmanned Aerial System Using Learning Algorithms," SBIR /STTR (Small Business Innovation Research and Small Business

Technology Transfer programs), November 29, 2017 (“Objective: Develop a system that can be integrated and deployed in a class 1 or class 2 Unmanned Aerial System ... to automatically Detect, Recognize, Classify, Identify ... and target personnel and ground platforms or other targets of interest”), https://www.sbir.gov/sbirsearch/detail/1413823; Gordon Cooke, “Magic Bullets: The Future of Artificial Intelligence in Weapons Systems,” *Army AL&T,* June 2019, https://www.army.mil/article/223026/magic_bullets_the_future_of_artificial_intelligence in_weapons_systems.

14 Scharre, *Army of None,* 102 - 119.

15 以下などを参照。United States White House Office, “National Strategy for Critical and Emerging Technologies,” October 2020, https://www.hsdl.org/?view&did=845571;Central Committee of the Communist Party of China, *14th Five -Year Plan for Economic and Social Development and 2035 Vision Goals,* March 2021; Xi Jinping, “Strive to Become the World’s Major Scientific Center and Innovation Highland,” speech to the Academician Conference of the Chinese Academy of Sciences and the Chinese Academy of Engineering, May 28, 2018, in *Qiushi,* March 2021; European Commission, *White Paper on Artificial Intelligence: A European Approach to Excellence and Trust,* March 2020.

16 以下などを参照。Department of Defense Directive 3000.09, “Autonomy in Weapon Systems,” rev. May 8, 2017, https://www.esd.whs.mil/portals/54 /documents/dd/issuances/dodd/300009p.pdf.

17 以下などを参照。Schmidt, Work, et al., *Final Report,* 10, 91 - 101; Department of Defense, “DOD Adopts Ethical Principles for Artificial Intelligence,” February 24, 2020, https://www.defense.gov/Newsroom/Releases/Release/Article/2091996/dod-adopts-ethical-principles-for-artificial-intelligence; Defense Innovation Board, “AI Principles: Recommendations on the Ethical Use of Artificial Intelligence by the Department of Defense,” https://admin.govexec.com/media/dib_ai_principles_-_supporting_document -_embargoed_copy_(oct_2019).pdf.

18 以下などを参照。Schmidt, Work, et al., *Final Report*, 9, 278 - 282.

19 Scharre, *Army of None,* 226 - 228.

20 以下などを参照。Congressional Research Service, “Defense Primer: U.S. Policy on Lethal Autonomous

Weapon Systems," updated December 1, 2020, https://crsreports.congress.gov/product/pdf/IF/IF11150; Department of Defense Directive 3000.09, §4 (a); Schmidt, Work, et al., *Final Report,* 92 - 93.

21　こうした概念が最初に検討されたのは以下の論稿である。William J. Perry, Henry A. Kissinger, and Sam Nunn, "Building on George Shultz's Vision of a World Without Nukes," *Wall Street Journal,* May 23, 2021, https://www.wsj.com/articles/building-on-george-shultzs-vision-of-a-world-without-nukes-11616537900.

第六章 AIと人間のアイデンティティー

かつては人間にしかできなかったことが機械にもできるようになる時代に、人間のアイデンティティーとは何を意味するのだろうか。

ここまで見てきたように、ＡＩは現実世界に対する私たちの理解を広げていく。コミュニケーション、ネットワーキング、情報共有のあり方を変えていく。人間が策定し、実践するドクトリンや戦略に根本的変化をもたらす。人間が自らの力だけを頼りに現実世界を探求し、形づくるのではなく、知覚や思考を補佐するものとしてＡＩを活用するようになったら、私たちの自分自身、そして世界における自らの役割に対する認識はどう変わるのか。人間の自主性や尊厳といった概念とＡＩとの折り合いをどうつけていくのか。

これまで人間は自らを物語の中心に据えてきた。ほとんどの社会は人間が不完全であることを認めつつ、人間の能力や経験はこの世で手に入れられる最高のものだと考えてきた。そして至高の精神を体現した人々を、目指すべき理想としてあがめてきた。指導者、探検家、発明家、殉教者など、英雄とされる人物像は社会や時代によって異なるが、いずれも人間の優れた資質、ひいては人間らしさを体現していた。今日、私たちが畏敬の念を抱く英雄は、宇宙飛行士、発明家、起業家、政治指導者など、誰よりも理性を生かして現実を探求し、体系化する人々だ。

私たちは今、人間の生み出したＡＩがかつては人間の知性が行っていた、あるいは行おうとした仕事を担う時代に足を踏み入れようとしている。ＡＩがそのような仕事を実行し、人間の知能と同じような、ときにはそれを上回るような成果を生み出すようになれば、「人間であること」の根本的意味が問い直される。しかもＡＩには学習し、進化し、（与えられた目的関数に従って）さらに「優秀」になる力がある。この動的な学習によって、ＡＩはこれまで人間と人間の組織のみが独占してきた領域で高度な成果を出せるようになる。

ＡＩの台頭にともない、人間の役割、願望、充実感の定義が変わるだろう。この時代に意味を持つ人間の資質とは何だろう。そのよりどころとなる原則はどのようなものか。

伝統的に人間が世界を知るよりどころとなってきたのは、信仰と理性の二つだった。そこに三つ目の手段としてＡＩが加わる。この変化は世界とそこにおける私たちの地位についての重要な前提を揺さぶり、場合によってはそれを根本的に変えるだろう。理性は科学に革命的変化をもたらしただけでなく、社会生活、芸術、信仰のあり方も変えた。理性の検証に耐えられなかった封建制度のヒエラルキーは崩壊し、代わりに合理的に思考する人々が自らの統治者となるべきだという民主主義の思想が台頭した。そして今度は、ＡＩが私たちの自己認識のよりどころとなる原則を検証しようとしている。

私たちが生きていくうえで何が大切かを推測し、次に何が起こるかを予測し、何をすべきかを判断できるAIによって、現実世界を予測し、おおよその姿を描き、シミュレートできるような時代には、人間の理性の役割も変わる。それにともない個人と社会の目的も変わるだろう。AIによって人間の理性が強化される分野もあれば、AIが状況を支配し、人間は疎外されているように感じるケースも出てくるだろう。

車を運転していたら、車両が何の説明もなく（ときには何も言わず）、独自の計算に基づいて車線やルートを変更してしまう。AIを使った審査によって信用を供与される、あるいは拒否される。同じくAIを使った審査によって面接に呼ばれる、あるいは面接にも呼ばれず不採用となる。本格的に学術研究を始める前に、AIモデルによって最も可能性の高い結果を示されてしまう。いずれも効率的かもしれないが、当事者にとって必ずしも充実感はない。主体性を持ち、万物の中心として複雑な知能を独占してきた人間に、AIは自己認識の変革を迫る。

ここまで見てきたさまざまな進歩は、AIが私たちと世界とのかかわり、さらには私たちの自己認識や世界における役割についての認識をどう変えるかを示唆している。AIは予測をする（ある人が初期の乳がんである可能性）。意思決定をする（チェスで次に打つべき手）。情報を取捨選択する（どの映画を観るか、何に投資するか）。そして人間が書くような文章を作成する（一文だけのこともあれば、段落、文書のこともある）。こうした能力が洗練されていけば、すぐに独創的あるいは専門的とみなされるレベルに達するだろう。

ＡＩが何らかの予測や意思決定ができる、あるいは文書を生成できるといった事実は、必ずしも人間と同じレベルの成果を出せることを意味するわけではない。しかし多くのケースにおいて、その成果はこれまで人間の力だけで生み出してきたものに匹敵する、あるいはそれをしのぐ。

ＧＰＴ－３のような文章生成モデルが作成する文章を考えてみよう。初等教育を受けた人ならたいてい、一つの文を提示されたとき、その続きを予測することはそれなりにできる。一方、文書全体を作成する、あるいはコンピューター・コードを書くといった作業はどうか。ＧＰＴ－３には可能だが、人間がそれに必要な高度な技能を身につけるには、高等教育を何年も受ける必要がある。

要するに生成モデルは、文章を完成させるのは簡単な作業であり、文書やコードを一《いち》から書くのとは異なるという私たちの認識を覆しつつある。ＡＩを使った生成モデルが進化すれば、人間の能力が特別なものであるという考えや、その相対的価値についての認識は変わるだろう。そうなったら、何が起こるのか。

人間の知覚を補完するような現実の認識をもたらすＡＩは、人間の優秀なパートナーになるかもしれない。科学的探究、クリエイティブな仕事、ソフトウェア開発などさまざまな領域において、人間とは異なる視点を持つ対話の相手が存在することには大きなメリットがあるだろう。しかし両者の協力を成功させるには、自らの理性が世界を知り、生き抜いていくための唯一の手段ではないことを人間が受け入れなければならない。ことによると理性は最も有効な手段ですらないかもしれない。それは人間の経験に、活版印刷以来、ほぼ六〇〇年ぶりとなる重大な変化を引き起こす。

社会には二つの選択肢がある。場当たり的に反応し、対応するか。あるいは人間の営みのあらゆる要素を踏まえてＡＩの役割、ひいては人間の役割を定義するために、意識的に対話を始めるかだ。なりゆきに任せていれば前者の道をたどることになる。後者を選ぶには、指導者、哲学者、科学者、人文学者など多様な集団が真剣にこの作業に関与する必要がある。

最終的に個人と社会は生きていく営みのなかでどの部分を人間の知能の専権事項とし、どの部分をＡＩ、もしくは人間とＡＩの共同作業に委ねるか、決めなければならない。人間とＡＩとの共同作業は対等のパートナーのそれではない。つまるところＡＩをつくるのも指示を出すのも人間だ。しかし人間が次第にＡＩに慣れ、依存していくなかで、ＡＩに制限を課すことのコストや心理的負担が高まり、技術的にも一段と複雑になるかもしれない。

私たちが取り組むべき課題は、ＡＩが人間の経験をどのように変えようとしているのか、それが人間のアイデンティティーをどのように揺さぶろうとしているのか、変化のどの部分に規制をかけ、人間による対応策を講じるべきかを理解することだ。私たちが人間の未来を描けるかは、ＡＩ時代における人間の役割を定義できるかにかかっている。

人間の経験が根こそぎ変わる

ＡＩとのかかわりによって、自分が新たな力を得たと感じる人もいるだろう。多くの社会では、ＡＩを理解できる人の数は少ないものの着実に増えている。こうした人々（自らＡＩを開発し、訓練し、任務を与え、規制する人々）や技術専門家のアドバイスをいつでも受けられる政策立案者や経営者にとって、ＡＩとの共同作業はときに度肝を抜かれることはあっても、全般的に実り多いものだろう。医学、生物学、化学、物理学の分野でのＡＩを使ったブレークスルーなど、多くの分野で高度な技術の力を借りて伝統的理性を超えていく経験には充実感がともなうはずだ。

技術的知識がない人々、あるいはＡＩが管理するプロセスにもっぱら消費者として参加する人々も、そうしたプロセスに満足するだろう。自動運転車を使えば、忙しい人は車中で読書をしたりメールをチェックしたりできるようになる。ＡＩを消費者向け製品に組み込むことによって、その恩恵を幅広い層に届けることができる。

一方、ＡＩは必ずしも特定の個人ユーザーに便益をもたらさない、あるいは個人ユーザーには操作できないネットワークやシステムの運用に使われることもある。こうしたケースでは人間がＡＩとのやりとりに戸惑う、あるいは不利益を被ることもあるだろう。たとえばＡＩが昇進や異動にふさわしい人材を推奨する、常識に反するような態度を助長する、といったことだ。

経営者にとって、ＡＩの活用は多くのメリットをもたらす。ＡＩの判断はたいてい人間の判断と同じくらい、ときにはそれ以上に正確であり、きちんとした対策を講じればバイアスは抑えられる。

同じように、ＡＩは資源の配分、結果の予測、解決策の推奨においても人間より優秀かもしれない。生成型ＡＩの普及が進むなかで、文章、画像、動画、コードを作成する能力は一般的に「クリエイティブ」とされる役割（文書や広告の作成など）においても人間と同レベルになるかもしれない。新たな製品を生み出そうとする起業家、新たな情報を活用しようとする管理者、これまでよりさらに強力なＡＩを生み出そうとする開発者にとって、こうした技術の進歩は主体性を高め、選択肢を増やすことにつながるかもしれない。

資源配分の最適化、意思決定の正確性の向上は、社会にとって好ましいことだ。しかし個人にとって意味とは、自律性や何らかの行動や原則に基づいて結果を説明する能力から生まれるものだ。説明が意味をもたらし、目的を与える。道徳的原則を人々が認め、それを明確に適用することから正義が生まれる。

しかしアルゴリズムは自らが導き出した結論を一般の人々に説明するために、人間の経験に基づいた理由を示すことはない。ＡＩがどのようなものかわかっている人には、このような世界も理解可能かもしれない。しかし大多数の人には、なぜＡＩが特定の行動をとるのかがわからず、自らの自律性や世界を意味づけする能力が損なわれている気持ちになるだろう。

ＡＩが仕事の性質を大きく変えていくなかで、多くの人のアイデンティティー、やりがい、経済的安定が脅かされるかもしれない。変化の影響を最も受けやすく、失業する可能性が高いのは、専門的訓練を必要とするブルーカラー労働者の中間管理職、そしてデータの審査や解釈、標準的形式に沿った文書作成といった職務を担う専門職だ。[1]

ＡＩが引き起こす変化は効率性を高めるだけでなく、新しいタイプの労働力へのニーズを生む可能性もある。しかし、たとえ短期間でも仕事を失った人から見れば、それが社会全体の生活の質や経済的生産性が向上するなかでの過渡的現象だという事実もあまり慰めにはならない。単調でつまらない仕事から解放され、仕事のなかでもやりがいのある部分に集中できると思う人もいれば、自分のスキルがもはや先端的でもなければ必要でさえない、と感じる人もいるだろう。

いずれも深刻な問題だが、過去に例のないものではない。過去の技術革命も、失業や仕事の変化を引き起こしてきた。機械式の紡績機の発明などによって労働者がお払い箱になり、「ラッダイト」と呼ばれる政治運動が湧き起こった。昔ながらの生活を守るために新たな技術を禁止しようとし、それがうまくいかないと妨害行為に及んだ。

農業の産業化は、都市への人口の大移動を引き起こした。そしてグローバリゼーションは製造業とサプライチェーンの変化をもたらした。それによって多くの社会で変化、ときには暴動が起きたが、やがて適応し、人々の生活は全体として豊かになった。

ＡＩの長期的影響がどのようなものになるかは定かではないが、短期的に経済の特定のセグメント、職業、アイデンティティーに根本的変化をもたらすのは間違いない。社会として仕事を失った人々に対し、新たな収入源だけではなく、新たなやりがいを提供する仕組みが必要だ。

意思決定

現代人が問題に直面したときの標準的反応は解を求めることだ。たとえば、原因となった不具合の責任者を特定するというのもその一つだ。責任も当事者能力も人間にあるという考え方で、それは私たちの自己認識にも影響を与えている。今この図式に新たな主体が加わりつつある。それは特定の状況においてモノを考え、行動するのは主に人間であるという認識そのものを覆す可能性がある。

ＡＩを開発し管理する側か、あるいは単に使う側かにかかわらず、私たちはそうとは知らずにＡＩを使ったり、頼んでもいないのにＡＩから回答や結果を提示されたりすることがある。ときには目には見えないＡＩが、魔法のような偶然をお膳立てしたりする。たまたま立ち寄った店が、私たちの訪問や気まぐれな要求を予想していたかのように対応するといった具合に。ＡＩが誰にも理由を説明できないような、それでいて私たちの人生を変えるような不条理な決定を示すこともある。企業による採用・不採用の決定、自動車ローンや住宅ローンの審査結果、あるいはセキュリティー会社や警察の判断などがその例だ。

合理的説明と不透明な意思決定、個人と大組織、技術的知識や権限のある者とない者のあいだに緊張が生まれるのは、特に目新しいことではない。では何が新しいかといえば、人間以外の、人間の理性では説明できないことも多い新たな知能が緊張の原因となっていることだ。

もう一つ新しいのは、この新たな知能の規模と広がりだ。AIを理解できない、あるいは管理する権限のない人は、それを拒絶したいという気持ちが特に強くなるだろう。AIに自律性を奪われることへの不満やその影響への不安から、AIの使用をできるだけ抑え、ソーシャルメディアなどAIを使ったネットワーク・プラットフォームから距離を置くことで、日々の生活から（自分が意識的にコントロールできる限り）排除しようとする人もいるかもしれない。

一部の層はさらに踏み込み、「バーチャリスト（バーチャル世界の住人）」になることを拒否し、断固として「フィジカリスト（物理世界の住人）」にとどまろうとするかもしれない。アーミッシュやメノナイトのように、AIを完全に拒絶し、信仰と理性のみの世界に生きようとする人々もいるだろう。

しかしAIが普及するなかで、それを遮断する生き方は孤独な旅路になるだろう。遮断できると考えること自体が幻想かもしれない。社会のデジタル化が一段と進み、政府の活動や製品にAIが組み込まれていくなかで、その影響から完全に逃れることは不可能になるかもしれない。

科学的発見

科学の発展は理論と実験の大きな乖離、そして相当な試行錯誤をともなうことが多い。機械学習の進歩によって、新たな科学のパラダイムが生まれようとしている。

これまでのように理論的理解からモデルを抽出するのではなく、AIが実験結果から結論を導き出し、モデルを生み出すようになる。このアプローチでは理論的モデルや従来型の計算モデルをつくるのとは異なる専門能力が必要になる。

必要なのは、問題を深く理解するだけでなく、その問題を解くためのAIモデルを訓練するにはどのようなデータをどのようなかたちで与えるべきかを深く理解する能力だ。たとえばハリシンの発見では、どの化合物のどのような属性をインプットとしてモデルに与えるかは重要であると同時に偶発的だった。

科学的探究における機械学習の重要性の高まりも、私たちの自己認識と世界における役割の認識に揺さぶりをかけている。

伝統的に科学は、人間の専門知識、直感、洞察を突き詰めた結晶であると考えられてきた。長きにわたる理論と実験の相互作用において、科学的探究をあらゆる面で支えてきたのが人間の創造力だ。しかしAIは非人間的な、そして人間とはかけ離れた世界観を科学的探究、発見、理解に持ち込む。機械学習は次々と驚くべき結果を生み出し、それが新たな理論モデルや実験につながっている。

一流のチェスプレーヤーが、当初はアルファゼロの戦略を驚きを持って受け止めたものの、やがてそれを理解することが自らのチェスの理解そのものを深める手段となると思い直したように、さまざまな分野の科学者も動き出している。生物学、化学、物理学といった分野ではAIが新たな発見を生み出し、人間がその理解と説明に取り組むというハイブリッド・パートナーシップが生まれている。

生物学と化学の分野で、AIによって広範囲にわたる発見が生まれている驚くべき事例がアルファフォールドだ。強化学習を使って新たに開発された、タンパク質を解析するための強力なモデルである。タンパク質は生物システムの組織、器官、プロセスの構造、機能、調整において中心的役割を果たす大きく複雑な分子だ。タンパク質はもう少し小さいアミノ酸と呼ばれる単位が何百（あるいは何千）と集まってできており、アミノ酸同士は結合して長い鎖状になっている。タンパク質を合成するアミノ酸には二〇種類あり、タンパク質は通常それぞれを表す二〇文字の「アルファベット」を何百（あるいは何千）と並べるかたちで表記される。

このアミノ酸配列はタンパク質を研究するのにきわめて重要だが、それでは表現できないタンパク質の重要な特性が一つある。アミノ酸のつながった鎖が形成する立体構造だ。こんなふうに考えるとわかりやすい。タンパク質はそれぞれ複雑な立体構造をしていて、ちょうど鍵と鍵穴のように互いにしっかりとかみ合わないと、特定の生物学的・化学的結果（病気の進行や治療）が起こらない。

タンパク質の構造は、結晶学のような手間のかかる実験的方法によって明らかにできるケースもある。だがこの方法ではタンパク質がゆがんだり壊れたりして、構造を把握することが不可能なケースも多い。このため、アミノ酸配列からその立体構造を判断する能力はきわめて重要なのだ。一九七〇年代以降、この試みは「タンパク質の折り畳み」と呼ばれてきた。

二〇一六年以前には、タンパク質折り畳みの正確性を高める試みはあまり進展しなかった。そんななかで登場した新たなプログラム、アルファフォールドが大きな進歩を実現した。名前からもわかるようにアルファフォールドは開発者がアルファゼロにチェスを教えたときの方法を参考にしている。アルファゼロと同じように、アルファフォールドは強化学習を使ってタンパク質のモデルを作成していく。このとき人間の蓄積した専門知識、具体的には従来のモデル化のアプローチが参考にしてきた既知のタンパク質の構造についての情報は必要としない。

アルファフォールドはタンパク質折り畳みの正確性を、それまでの四〇%前後から八五%前後へと二倍以上に向上させた。そのおかげで世界中の生物学者や化学者が、人間や動物や植物を悩ませる病原菌について、これまで答えられなかった積年の問いを調べ直したり、新たな問いと向き合うことができるようになった。[2]

アルファフォールドの進歩（それ自体はＡＩがなければ不可能だった）により、それまでの測定や予測の限界を超えられるようになった。こうして科学者が病気を治療し、環境を保護し、その他さまざまな重要な問題を解決するための知識を得るアプローチが一変した。

教育と生涯学習

ＡＩの存在する時代に生まれ育つ子供たちの他者との関係性、そして自分自身との関係性は、従来とは異なるものになるだろう。今日「デジタルネイティブ」とそれ以前の世代のあいだに断絶があるのと同じように、「ＡＩネイティブ」とそれ以前の世代のあいだにも断絶が生じる。これからの子供たちは、アレクサやグーグル・ホームよりもはるかに進化したＡＩアシスタントに育てられるかもしれない。それもベビーシッター、家庭教師、相談相手、友人など一台で何役もこなす。

AIアシスタントは子供にどんな言語でも教えられるし、どんな科目でも指導できる。生徒が最高の成果を出せるように、それぞれの学習の進捗や学習スタイルに合わせて教え方を調整することもできる。子供が退屈したときには遊び相手に、保護者が離れるときには見守り役にもなる。AIが教育者となり、子供に合わせてその内容を調整するようになったら、平均的な人間の能力は向上すると同時に損なわれる可能性がある。

人間とAIの境界は、驚くほど簡単に乗り越えられる。子供たちが幼い頃からデジタル・アシスタントと接するようになれば、その存在を当たり前と思うようになるだろう。またデジタル・アシスタントは所有者が成長していくなかで、その選好や偏りを取り込み、ともに変化していく。パーソナル化を通じて人間のパートナーの利便性や充実感を最大化することを使命とするデジタル・アシスタントは、重要度が高いと判断した推奨や情報を伝えてくるだろう。ただ人間のユーザーには、それがなぜ他の選択肢より優れているのか、正確に説明できないかもしれない。

人間は次第に、他の人間よりもデジタル・アシスタントと過ごすほうがいい、と感じるようになるかもしれない。人間は機械のように自分の好みを察してくれないうえに「不愉快」なこともある（人間にはそれぞれ人格があり、常に他人に合わせるのは嫌だと感じるからだ）。その結果、人間はこれまでのようにお互いに頼らなくなるかもしれない。

そうなったら子供時代のかけがえのない経験や学びは、どう変わるのだろう。人間の感情を自ら感じたり経験したりすることのない（模倣することはあるかもしれないが）機械と常に一緒にいることは、子供の世界観や社会化のプロセスにどんな影響を与えるのだろうか。それは想像力、あるいは遊びの質にどんな変化をもたらすのか。誰かと友達になる、集団にとけ込むといったプロセスはどう変わるのか。

デジタル情報が容易に入手できるという状況は、すでに現世代の教育的および文化的経験を変えてしまったと見て間違いない。今、世界は新たに壮大な実験に乗り出そうとしている。子供たちのために従来は人間の教師が担ってきたさまざまな役割を、人間の感性、洞察力、感情を持たない機械が果たすようになる。いずれ実験の参加者たちが、自らの子供時代の経験が予想もしなかった、あるいは認めなかったような方向に変えられたのではないか、問い直すことになるだろう。

このような環境にさらされることが子供たちにどのような影響を及ぼすかは不確実なので、不安を感じる保護者が抵抗するかもしれない。一世代前の保護者が子供のテレビ視聴時間を、そして現代の保護者がスクリーンタイムを制限するのと同じように、将来の保護者たちはＡＩタイムを制限するかもしれない。しかし保護者が子供の成功を強く願う場合、保護者や家庭教師にＡＩの代わりを務める意志や能力がない場合、あるいは単にＡＩ

の友達が欲しいという子供の望みをかなえてやりたいと思った場合、子供にＡＩとともに過ごす時間を与えてやるかもしれない。こうして感受性が強く、学び、変化する力のある子供たちは、ＡＩとの対話を通じて世界の見方を形成していく。

皮肉なことに、デジタル化によって私たちが入手できる情報の量は増える一方、集中して深い思考をする時間は減っている。ほぼ常にメディアにさらされている今日、熟慮のコストは増え、それゆえに頻度は低下していく。

人間が刺激への欲求を持っていることに反応して、アルゴリズムは注意を引くようなものを推してくる。そして注意を引くものとは、ドラマチックで意外性があり、感情を揺さぶるものだ。このような環境において個人がじっくりモノを考える時間を確保できるのかというのは大きな問題だ。

そしてもう一つ、現在支配的になっているコミュニケーションの形態は、冷静な合理的思考を促すようなものではないという問題がある。

新たな情報媒体

第四章で見てきたように、ＡＩは私たちの情報領域のあり方に影響を及ぼすようになってきた。

人間の経験に必要な知識を与え、またそれを整理するために、私たちは情報媒体を生み出してきた。複雑な情報の要点を抽出し、個人が知るべき情報を選び出し、重要な情報を周知する。[3] 社会で身体的労働の分業が進むのと並行して、知的労働も分業が進んだ。市民に情報を提供するために新聞や専門誌が生まれ、専門教育を施すために大学が創設された。以来、情報の集約、分析、配信はそうした機関が受け持つようになった。

そして今、金融から法律まで高度な頭脳労働が求められるすべての領域で、ＡＩが学習プロセスに組み込まれるようになっている。しかし、ＡＩが提示するものが本当に何かを代表しているのか、人間が必ずしも確認できるわけではない。たとえばＴｉｋＴｏｋやユーチューブなどのアプリケーションがなぜ特定の動画を推奨するのか、常に説明できるわけではない。それに対して人間の編集者やニュース番組のキャスターは、なぜ特定のテーマを選んだのか、（正確か否かはわからないが）理由を説明できる。私たちにそうした説明を求める姿勢がある限り、ＡＩのプロセスやメカニズムを理解できない大多数の人はＡＩ時代に不満を抱くだろう。

ＡＩが人間の知識に与える影響には矛盾がある。ＡＩを使った媒体が処理・分析できるデータ量は、これまで人間がＡＩの助けを借りずに考慮できた量を凌駕する。ただその一方、膨大な量のデータを扱う能力によって、さまざまな操作やエラーが増幅される可能性もある。ＡＩは伝統的なプロパガンダよりも巧みに人間の情熱につけ入ることができる。個人の好みや本能に合わせるように設計されていることから、ＡＩは設計者やユーザーが望むとおりの反応を誘発する。

同じ理由からＡＩを情報媒体に活用することは、個人がもともと持っていたバイアスを増幅させるリスクがある。ＡＩ媒体を人間が技術的にコントロールしても、それは変わらない。市場では競争原理が働くため、ソーシャルメディア・プラットフォームや検索エンジンはユーザーが最も魅力を感じるような情報を提示する。その結果、現実を反映するはずのデータにゆがみが生じ、ユーザーが好みそうな情報が優先的に表示される。一九世紀から二〇世紀にかけては技術が情報の生産や拡散プロセスを加速させたが、今はＡＩを拡散プロセスに導入することによって情報そのものが変化しつつある。

現実をゆがめない情報フィルター、あるいは少なくともどのようなゆがみを生じさせているかが明らかなフィルターを求める人もいるかもしれない。自ら結果に重みづけをすることで、フィルターにフィルターで対抗しようとする人もいるだろう。ＡＩというフィルターを完全に拒絶し、伝統的な人間主導の媒体による情報の選別を求める人もいるかもしれない。

しかし、社会の大多数がＡＩ媒体を当然のものとして、あるいはネットワーク・プラットフォームを利用しつづける代償として受け入れるようになったら、自ら調べて合理的に考えるという昔ながらの情報の探求方法を実践しようとする人は世の中の動きについていけなくなるかもしれない。少なくとも世の中の動きに影響を及ぼす力が次第に限られていくのは間違いない。

情報やエンターテインメントが今後ますますイマーシブ（没入型）になり、パーソナライズされ、合成的（個人がもともと持っている考えを裏づけるような「ニュース」をＡＩが選別する、あるいはずっと昔に亡くなった俳優を起用した映画をＡＩが作成する）になっていくなかで、社会は歴史や文化に対する共通理解を持てるだろうか。共通の文化を持てるだろうか。

ＡＩに一世紀分の音楽やテレビ番組をスキャンさせ、「ヒット作」を制作させたら、それは創作なのか、それとも単なる寄せ集めなのか。作家、俳優、芸術家をはじめとするクリエイターの仕事はこれまで、現実や実体験を表現する人間にしかできない活動とされてきたが、彼らの自己認識、そして彼らに対する社会の見方はどう変わるのか。

新たな人間の未来

ＡＩの時代にも伝統的な理性や信仰は存続する。ただ機械がつかさどる新しい強力なロジックの登場によって、その性質や影響力が本質的に変化するのは必至だ。人間の知性は命あるものの世界では頂点に君臨しつづけるが、それが現実を理解する唯一の知性ではなくなる。私たちは世界における人間の役割を考えるとき、最も重要なのは理性ではなく、尊厳と自律性であるという視点に転換する必要がある。

啓蒙主義とは過去の時代と比較・対比することで人間の理性を定義し、理解しようとする試みだった。ホッブス、ロック、ルソーなど啓蒙主義時代の政治哲学者は、自然状態を理論的に定義し、そこから人間の特性や社会の構造についての見解を組み立てていった。それをもとに政治指導者が人間の知識を集約し、公平に広めることで、啓蒙的政府や人類の繁栄を実現する方法を考えた。それに比肩するような人間の本質を理解するための包括的取り組みを欠いたまま、AI時代の混乱を抑えるのは難しいだろう。

慎重派はAIの使用を特定の機能に限定し、時間、場所、使用方法を制限することで、その影響を抑えようとするかもしれない。社会あるいは個人は行為や判断の主体としての役割を堅持し、AIをサポートスタッフの地位にとどめるかもしれない。しかし競争というダイナミクスがそのような制限を困難にするかもしれない。前章で見てきた安全保障をめぐるジレンマがその最たる例だ。

明らかな倫理的あるいは法的制約がないのに、ライバルが新たな製品やサービスに使ったＡＩの機能を使用しない会社などあるだろうか。官僚、建築家、投資家がＡＩを使えば簡単に結果や結論を予測できるなら、使わない理由があるだろうか。ＡＩの使用を促す強い圧力が存在することを考えれば、一見好ましく思えるＡＩの使用を制限するルールは社会全体あるいは国際的レベルで検討する必要がある。

物理的世界とデジタル世界をそれぞれ探求し、管理していく営みにおいて、ＡＩは中心的役割を担うようになるかもしれない。特定の領域では、限界のある人間の知性よりＡＩのプロセスのほうが好ましいと考え、人間がＡＩに主導権を渡すこともあるだろう。その結果、多くの人が、ことによると人類の大半が、個人向けにフィルタリングされ、カスタマイズされた世界に閉じこもるようになるかもしれない。このようなシナリオは、ＡＩの強大な力とその普及力、不可視性、不透明性と相まって、自由社会や自由意思の先行きについて疑念を抱かせる。

一方、多くの分野ではＡＩと人間はともに探求に挑む対等なパートナーになるだろう。その結果として人間はＡＩとの、そして現実との新たな関係性を受け入れ、人間のアイデンティティーはその融和を反映したものへと変化していくだろう。

社会は人間が主導権を持つべき領域を明確にしていく。それと同時に、ＡＩを理解し、有意義な相互作用に必要な社会構造や習慣を醸成していくだろう。社会はＡＩとかかわり、その特別な知能が人類にできるだけ多くの恩恵をもたらすように知的および心理的インフラを構築する必要がある。ＡＩによって私たちは政治生活および社会生活の多くの面（というよりほとんどの面）で、適応を迫られる。

ＡＩを使って新たに大規模な取り組みを始める際には、適切なバランスの確保が欠かせない。社会とその指導者は、個人に対してＡＩを使っている事実、そしてその相互作用において個人にどのような権限があるかという情報を伝えるべきタイミングを選択しなければならない。こうした選択を通じて、最終的にＡＩ時代の新たな人間のアイデンティティーが明確になるはずだ。

段階を踏んで適応していく社会や組織もあるだろう。一方、自分たちが大前提としてきたことと新たな現実認識や自己認識との矛盾が表面化する社会もあるだろう。ＡＩは情報の誇張や操作をしやすくする一方、教育や情報へのアクセスも改善するため、矛盾は強まるだろう。豊富な情報によって理論武装し、自らの見解に自信を持った個人は、政府により多くを求めるようになるかもしれない。

ここからいくつかの原則が浮かび上がる。第一に、人間の自律性を守るため、政府の重要な決定にはＡＩを使ったシステムを関与させず、人間の管理・監視下に置くべきだ。社会の基本となる原則は、紛争の平和的解決を促すものでなければならない。このプロセスにおいて秩序と正当性は切り離せない。正当性なき秩序は力による支配にすぎない。

政府の正当性を維持するためには、人間がその基本的要素を監視し、主導的立場で参画することが欠かせない。たとえば司法制度においては、説明や道徳的根拠を示すことが正当性を維持する必須条件となる。人間が司法の公平性を評価し、その結論が社会の道徳原則を尊重していない場合は異議を唱えられるようでなければならない。当然ながらAIの時代にそのような重要な問題が生じた際には、最終判断はその根拠を説明できる、見識がありと顔の見える（匿名ではない）人物の手に委ねるべきだ。

同じように、民主主義にも人間らしさを維持する必要がある。最も基本的レベルでは、それは民主的議論や選挙の正当性を守ることを意味する。発言の機会を保証するだけでは有意義な議論は保証されない。人間の発言をAIによる歪曲《わいきょく》から保護することも必要だ。言論の自由は今後も守られるべきだが、その対象をAIにまで広げてはならない。第四章で見てきたとおり、AIはディープフェイクなど、本物の動画や音声と見分けがつかないような質の高い偽情報を大量に生成することができる。

AIによる自動音声は人間が指示してつくらせたものだが、それと本物の人間の発言の違いを識別する方法を開発することが重要になる。AI媒体への規制を導入することは困難だが、偽情報やデマ（意図的な捏造）の拡散を防ぐためにはきわめて重要だ。

民主社会において、言葉は市民が重要な情報を共有し、民主的プロセスに意識的に参加し、創作活動を通じて自己実現する手段となる。[4] AIが生み出す偽物の言葉は人間の言葉に似ているかもしれないが、後者をかき消し、ゆがめるだけだ。だから偽情報を生み出すAIの拡散を防ぐことが、民主的議論の生命線である人間の発言を守ることにつながる。実際には会ったこともない二人の著名人の対話をAIがつくったら、それは偽情報になるのか、エンターテインメントか、それとも政争の材料になるのか。答えは状況や参加者の顔ぶれによって変わるのか。個人には、自分の姿が許可なくバーチャル世界で使われることを止める権利があるだろうか。当人が許可を与えたら、合成された動画や発言は本物になるのだろうか。

それぞれの社会はまず、さまざまな領域におけるAIの使用について許される範囲と許されない範囲を決めなければならない。

汎用人工知能（AGI）のような強力なAIは、悪用を防ぐために厳格に管理する必要がある。AGIの開発には途方もない費用がかかるため、実際に開発できる者はごくわずかで、アクセスはおのずと限定されるかもしれない。制限のなかには、自由な企業活動や民主的プロセスに関する社会の認識に反するものもあるかもしれない。一方、生物兵器の製造へのAIの使用禁止など、誰もが必要性を認め、必要なのは国際協調のみというケースもあるだろう。

本書執筆の時点で、EUはAI規制案の概要を示している。[5] プライバシーや自由といったヨーロッパの価値観と、経済発展やヨーロッパで生まれたAI企業の支援を両立させることを目的としている。EUの規制は、国家が監視用も含めたAIに積極的に投資する中国と、AIの研究開発をほぼ民間部門に委ねているアメリカの中間を行くものといえる。EUが目標としているのは、企業や政府のデータやAIの使用方法に制限をかけ、それと同時にヨーロッパでのAI企業の誕生と成長を促すことだ。

規制の枠組みには、AIのさまざまな用途のリスク評価と、顔認識などハイリスクと判断された技術を政府が使用することを制限あるいは禁止することも含まれる（ただ顔認識には行方不明者の捜索や人身売買対策に役立つといった好ましい用途もある）。枠組みがまとまれば相当な論争が生じ、修正が加えられるのは間違いない。ただ、それは社会のあり方や未来を発展させていくためにAIにどのような制限をかけるべきか、社会としての判断を示すものとなる。

こうした取り組みはいずれ制度化されていくだろう。アメリカでは学術団体や諮問機関が、人工知能の台頭が既存の仕組みや構造にどのような影響を及ぼすかをすでに分析しはじめている。学術界の事例では、仕事の未来を研究するMITのプロジェクト[6]があり、政府では「人工知能に関する国家安全保障委員会（ＮＳＣＡＩ）」がそれにあたる。[7]

こうした分析を完全に放棄する社会もあるだろう。だがそれでは模索を重ねていち早く制度を適応させる社会、あるいは次章で見ていくような完全に新しい制度を創りあげ、それによって混乱を抑え、ＡＩとのパートナーシップがもたらす物質的・知的恩恵を最大限享受する社会に後れをとることになる。ＡＩの進歩にともない、新たな制度を構築することがきわめて重要になる。

現実の認識と人間らしさ

ＡＩが明らかにする現実、あるいは人間がＡＩの力を借りて明らかにする現実は、これまで人間が思い描いてきたものとは違うかもしれない。そこには人間が理解することのできなかった、あるいは概念化することのできなかったパターンが含まれているだろう。

ＡＩが切り込み掘り起こす現実世界の根本的構造は、人間の言語だけでは表現できないかもしれない。私たちの知人はアルファゼロについてこんな感慨をもらした。「この事例は人間の意識では手の届かない知の技法があることを示している」。[8]

現代の知のフロンティアを開拓するためには、人間には足を踏み入れることのできない領域の探索をＡＩに委ねなければならないかもしれない。そしてＡＩは私たちには完全に理解することのできないパターンや予測を持ち帰ってくるかもしれない。

グノーシス主義の哲学者が語った「ふつうの人間の経験を超越したところに内なる現実が存在する」という予言が新たな重要性を帯びてくる。人間の知性の構造、あるいはこれまでの人間の思考パターンに縛られなくなった結果、私たちは純粋な知という概念にもう一歩、近づけるのかもしれない。

人間は、もはや現実を認識できる唯一の存在ではないという新たな自己認識を受け入れるだけではなく、これまで探求していたはずの現実そのものに対する認識を改めなければならない。そしてたとえ現実が謎に満ちたものではなくなっても、AIの登場によって私たちの現実とのかかわり方、そしてお互いとのかかわり方はやはり変化するだろう。

AIの普及にともない、人間が自らを取り巻く環境を理解し、体系化する能力はかつてないほど高まると考える人もいるだろう。反対に、人間の能力は自分たちが思っていたほど高くはなかったと結論づける人もいるかもしれない。このような自己認識の見直し、さらには自らを取り巻く現実の再定義によって、私たちの世界の土台となる大前提が変わる。それにともなって社会、経済、政治のあり方も変わるだろう。

中世の世界は「イマゴ・デイ（神の像）」をよりどころに、封建的農耕、王権崇拝、そびえ立つ大聖堂の尖塔《せんとう》への憧憬によって支えられていた。理性の時代は「われ思う、ゆえにわれあり」を旗印に新たな地平を開拓し、それにともない個人と社会の運命観に主体性の意識が芽生えた。ＡＩの時代には、まだ土台となる原則、道徳観、目標や限界もない。

ＡＩ革命は大方の人間が思うよりずっと早く起こる。それが引き起こす大きな変化を説明し、解釈し、体系化するための新たな概念を生み出さなければ、変化とそれが引き起こす影響を丸腰で迎え撃つことになる。

私たちは道徳的に、哲学的に、心理的に、実践的に、すなわちあらゆる面から新たな時代のとば口にいる。理性、信仰、伝統、技術という最も本質的なリソースを動員し、人間と現実との関係を見直し、それが今後も人間らしいものでありつづけるようにしなければならない。

---

1 David Autor, David Mindell, and Elisabeth Reynolds, "The Work of the Future: Building Better Jobs in an Age of Intelligent Machines," MIT Task Force on the Work of the Future, November 17, 2020, https://workofthefuture.mit.edu/research-post/the-work-of-the-future-building-better-jobs-in-an-age-of-intelligent-machines.

2 "AlphaFold: A Solution to a 50 - Year- Old Grand Challenge in Biology," DeepMind blog, November 30, 2020, https://deepmind.com/blog/article/alphafold-a-solution-to-a-50-year-old-grand-challenge-in-biology.

3 Walter Lippmann, *Public Opinion* (New York: Harcourt, Brace and Company, 1922), 11.

4 Robert Post, "Participatory Democracy and Free Speech," *Virginia Law Review* 97, no. 3 (May 2011): 477

-478.

5 European Commission, "A European Approach to Artificial Intelligence," https://digital-strategy.ec.europa.eu/en/policies/european-approach-artificial-intelligence.

6 Autor, Mindell, and Reynolds, "The Work of the Future."

7 Eric Schmidt, Robert Work, et al., *Final Report: National Security Commission on Artificial Intelligence,* March 2021, https://www.nscai.gov/2021-final-report.

8 Frank Wilczek, *Fundamentals: Ten Keys to Reality* (New York: Penguin Press, 2021), 205.

第七章 AIと未来

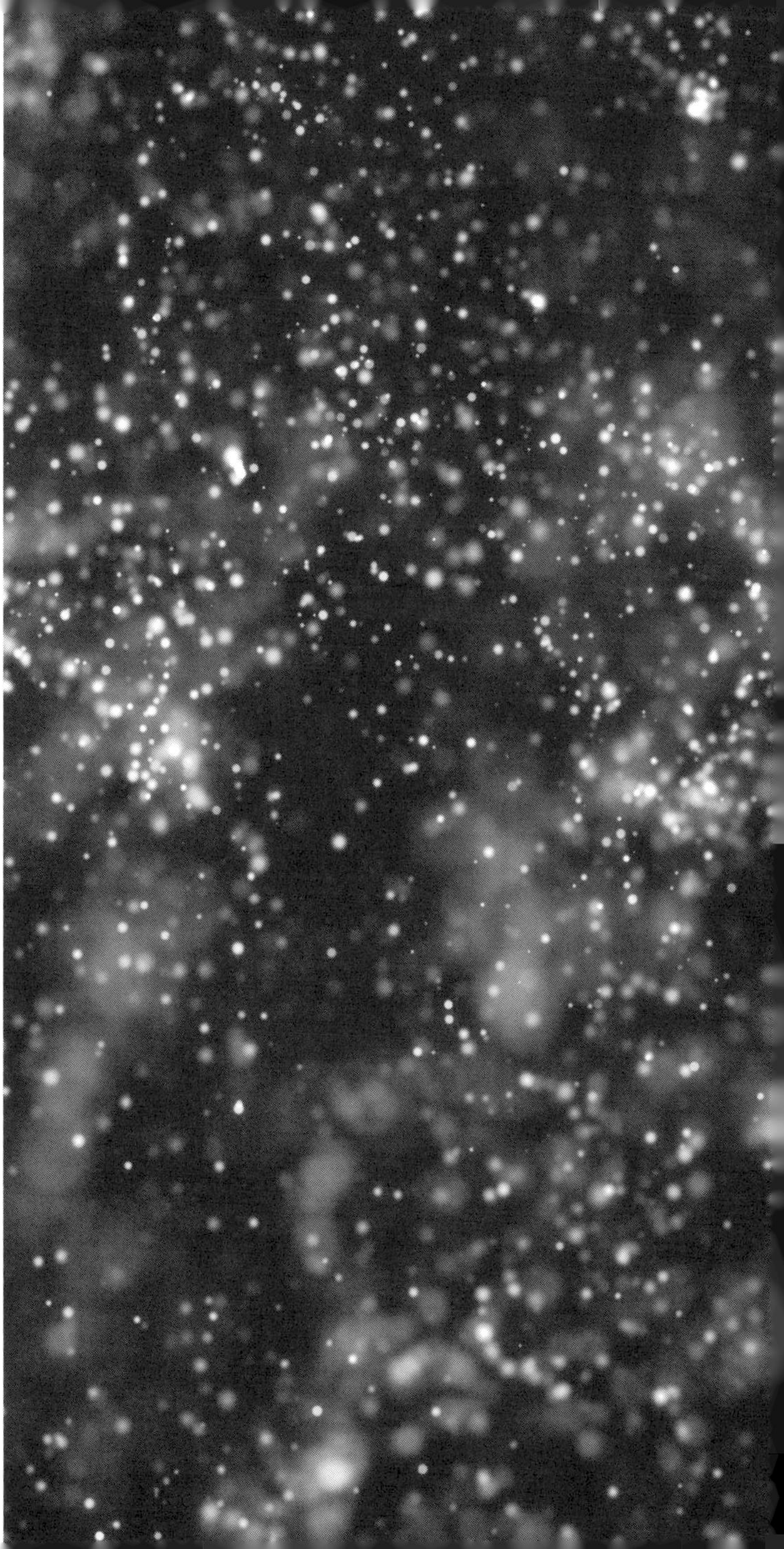

印刷技術の進歩が一五世紀のヨーロッパにもたらした変化は、歴史的にも思想的にもAI時代の問題を考えるうえで参考になる。中世ヨーロッパにおいて知識は重んじられていたものの、書物は希少だった。さまざまな書き手が事実、伝説、あるいは宗教の教義を文学や事典のかたちにまとめたが、そうした書物を手にとることができるのはごくわずかな人に限られていた。個人の経験のほとんどは個人的なものに限られ、知識のほとんどは口づてに広められた。

一四五〇年にドイツの街マインツの金細工師、ヨハネス・グーテンベルクが借金を元手に実験的に印刷機を造った。試みはうまくいったとは言い難く、事業は軌道に乗らず、債権者には訴訟を起こされた。だが一四五五年にはヨーロッパ初の刊本（印刷された本）としてグーテンベルク聖書が誕生した。グーテンベルクの印刷機が起こした革命の影響は、西洋人の生活、やがて世界中の人々の生活のあらゆる面に及んでいった。一五〇〇年にはヨーロッパ全体で九〇〇万冊の刊本が出回り、一冊あたりの価格も大幅に下がっていた。（ラテン語ではなく）日常使われる言語で書かれた聖書に加えて、歴史、文学、文法、論理学といった分野の古典も数多く出版された。[1]

刊本が登場する以前、中世ヨーロッパの人々は主にコミュニティの伝統を通じて知識を得ていた。収穫作業に参加したり季節の周期を感じたりするなかで、そこに蓄積された民衆の知恵を学ぶ。信仰を持ち、教会で宗教行事に立ち会う。ギルド（職業組合）に入り、技術を学び、専門家のネットワークの一員として認められる。新たな情報や思想（国外からのニュース、革新的な農業技術や機械の発明、新たな神学的解釈など）が登場した場合は、コミュニティを通じて口伝で、あるいは手書きの写本を通じて伝えられた。

刊本が広く普及するのにともない、個人と知識の関係性は変化した。新たな情報や思想は、より多様なルートを通じて迅速に拡散されるようになった。個人は自らの取り組んでいる事柄に役立つ情報を探し出し、独習できるようになった。原典に直接あたることで、常識を問い直すこともできた。自らの洞察や解釈に強い確信を持つ者は、多少の資金があれば、あるいは支援者を見つけることができれば、それを出版できるようになった。

科学や数学の進歩は、大陸全域に急速に広がるようになった。神学論争に絡めた政治論争では、見解を冊子にまとめて交換するという手法が定着した。新たな思想は既存の秩序に破壊あるいは抜本的変革をもたらしながら広がっていった。それは宗教の変容（宗教改革）、政治の変革（国家の主権という概念の修正）、そして科学の新たな理解（現実という概念の再定義）へとつながった。

今、新たな時代が始まろうとしている。技術が再び知識、発見、コミュニケーション、個人の思考のあり方を大きく変えようとしている。人工知能は人間ではない。望むことも、祈ることも、感じることもない。意識もなければ内省する能力もない。人間のつくった機械であり、人間が設計したプロセスを実行する人間の創造物だ。しかしときとして、従来は人間の理性を通じてしか手に入れることのできなかった成果物に近いものを、驚異的な速さとスケールで生み出す。ときには人間の度肝を抜くような成果を生み出すこともある。

その結果、人間がこれまでおよそ考えてもみなかったような現実の姿をあぶりだすかもしれない。個人や社会が自らの能力を強化する、あるいはアイデアを追求するパートナーとしてＡＩを活用すれば、これまで人類が生み出してきたものを凌駕する化学的、医学的、軍事的、政治的、社会的偉業を成し遂げることができるかもしれない。しかし人間の知能に近似した機械が、より早く、より優れた結果を生み出すのに欠かせない存在とみなされるようになれば、理性だけに頼ることは時代遅れとみなされるのではないか。この時代の全容が明らかになったとき、個人が自らの理性を用いることの意味は変わっているかもしれない。

一五世紀のヨーロッパで起きた印刷技術の革命は、新たな思想や言論を生み出し、それは既存の社会のあり方を破壊すると同時に豊かにした。ＡＩ革命も同じような効果をもたらすはずだ。新たな情報を利用可能にし、科学と経済の大きな進歩をもたらし、それを通じて世界を変えるのだ。しかしＡＩが言論に及ぼす影響を見極めるのは難しい。人間がデジタル情報をあますところなく活用するのを手助けすることで、ＡＩは知識と理解をかつてないほど大きく広げるだろう。

また別のシナリオとして、ＡＩが膨大なデータから発見したパターンからいくつかの行動原則が生まれ、それが大陸規模や世界規模のネットワーク・プラットフォームで正義として受け入れられるようになる可能性もある。それによって今の時代の特徴である、疑問を持って探求するという人間の能力が損なわれるかもしれない。またＡＩは社会やネットワーク・プラットフォーム・コミュニティをそれぞれ孤立した、互いに矛盾するような現実世界にいざなうかもしれない。

ＡＩが人類を向上させるか、（誤った使い方をされて）損なうかはわからない。ただＡＩが存在するという事実だけで、私たちの根本的前提は試され、場合によっては覆されてしまう。今日に至るまで現実の理解は人間だけが生み出すものだった。その能力こそが世界における人間の地位、人間と世界との関係性を決定づけていた。そこから私たちは哲学、政府や軍事戦略、道徳観を生み出してきた。

それが今、現実を理解する方法は他にもあるかもしれないこと、しかもどうやらこれまで人間が用いてきたものよりはるかに複雑な方法が存在する可能性をＡＩが示した。その成果はときとして、人類屈指の思想家たちがその全盛期に生み出したものより衝撃的で破壊的かもしれない。すばらしい洞察や既成概念を揺るがすような疑問が生まれ、これまで蓄積されたすべてに審判が下される日が来るのかもしれない。ただほとんどの場合、AIは私たちの目には入らず、日常のなかに埋没し、私たちの経験を直感的に正しいと思うものに形づくっていくだろう。

設定されたパラメーターのなかでAIが達成する成果は、ときに人間のそれと同等、あるいはそれをしのぐことを私たちは認めなければならない。AIは人工的で、人間のように意識的に現実を経験することはなく、その能力もないという事実に慰めを見いだすこともできるかもしれない。しかし論理的偉業、技術的ブレークスルー、戦略的洞察、大規模で複雑なシステムの高度な管理能力など、AIの成果を目の当たりにするなかで、私たちが人間以外の高度な存在による別種の現実経験と共存しているという事実は明白になるだろう。

AIという開拓者を得て、新たな地平が私たちの前に広がろうとしている。これまでは人間の知性の限界によって、データを集めて分析する能力、ニュースを選別し会話を処理する能力、デジタル領域で社会的に交流する能力は制約されていた。AIがあればこうした領域をこれまでよりうまく渡っていけるようになる。AIは情報を見つけ、従来型アルゴリズムでは特定できなかった（少なくともＡＩほど楽々と効率的には特定できなかった）パターンを発見することができる。それによって物理的な現実世界を広げるだけでなく、急拡大しつつあるデジタル世界を広げ、体系化することも可能になる。

ただそれと同時に、ＡＩには弊害もある。すでに明らかになってきたように、ＡＩは人間の理性を損なうようなダイナミクスを加速させる。ソーシャルメディアは内省の機会を奪い、ネット検索は概念化の意欲をそぐ。ＡＩ以前のアルゴリズムは、人間に「中毒性」のあるコンテンツを届けることに優れていた。ＡＩはその上を行く。じっくりモノを読み、分析するという行為が少なくなれば、それに付随していた喜びも少なくなる。デジタル領域からオプトアウトするコストが増加するにつれて、ＡＩが人間の思考に影響を与える能力、人間を説得し、誘導し、注意をそらす能力は高まっていく。その結果、情報を吟味し、検証し、理解するうえで個人が果たす役割は小さくなっていく。それに代わってＡＩの役割が拡大していく。

ロマン派は人間の感情は正当なものであり、情報源としても重要だと主張した。主観的経験はそれ自体が真実の一形態である、と。ポストモダニズムはその論理をさらに一歩推し進め、主観的経験というフィルターを通じて客観的現実を理解できるという考え方そのものに疑問を呈した。ＡＩはそうした疑問を大幅に発展させるが、結論は矛盾に満ちたものになるだろう。

AIは隠れたパターンを見いだし、新たな客観的事実を明らかにする。それは医学的診断のこともあれば、産業あるいは環境にかかわる大惨事の初期の兆候、迫りくる安全保障上の脅威のこともある。しかしメディア、政治、言論、エンターテインメントが幅を利かせる世界では、AIは私たちの好みに合うように情報を調整するだろう。それは偏見に裏づけを与えて根深いものにし、客観的真実に触れることや合意を形成することを難しくする可能性がある。このように、AIの時代に人間の理性は拡張されると同時に縮小されるのだ。

AIが日常の経験に織り込まれ、経験を拡張し変えていくなかで、私たちは相矛盾する衝動を抱えることになるだろう。門外漢には理解できないテクノロジーを目の当たりにして、AIの判断を神託のように受け入れる者も出てくるだろう。その衝動は誤っているが、不合理とはいえない。自らの理解やコントロールの及ばない知能が、有益だがどこか異質なものを感じさせる結論を導き出す世界において、その判断に従うのは愚かなことだろうか。この論理に従うと、世界は再び魔法に包まれた存在になる。AIが予言者のようにご託宣を伝え、一部の人間は何の疑問も持たずにそれを受け入れる。とりわけ汎用人工知能（AGI）が登場すれば、それを神のような知能、世界の構造や可能性を直感的に理解する、人間を超える存在と受け止める者もいるだろう。

しかしＡＩへの従属は人間の理性の範囲や規模を狭め、反動をともなう可能性が高い。ソーシャルメディアから離脱し、子供のスクリーンタイムを制限し、遺伝子組み換え食品を拒絶する人がいるのと同じように、理性の働く領域を守ろうと「ＡＩ世界」から離脱し、ＡＩシステムとの接触を制限しようとする者もいるはずだ。自由国家においては、少なくとも個人や家族のレベルではそのような選択も可能だろう。しかしそれにはコストもともなう。ＡＩの使用を拒絶するのは、映画のオススメ機能や運転時のナビゲーションといった便利な機能をあえて使わないというだけではない。膨大なデータ、ネットワーク・プラットフォーム、さらには医療から金融までさまざまな分野での進歩の恩恵を享受しないことを意味する。

一方、文明のレベルではＡＩの使用を控えるというのは非現実的だ。国家指導者にとってＡＩの活用は重大な責務であり、この技術の影響に向き合う必要がある。ＡＩ時代の理解、さらにはその指針となる倫理観の形成がきわめて重要だ。ただその作業を特定の学問や社会集団に委ねてはならない。ＡＩ技術を開発する科学者や企業経営者、ＡＩの活用をもくろむ軍事戦略家、ＡＩの方向性に影響を及ぼそうとする政治指導者、ＡＩの本質的意義を探求する哲学者や神学者には、いずれも全体像の一部しか見えていない。誰もが与件にとらわれずに意見を交わす必要がある。

ことあるごとに人類は三つの選択肢に直面するだろう。AIを制限するか、AIと組むか、あるいはAIに従うかだ。この選択には哲学的要素と同時に実務的要素も加味され、特定のタスクあるいは分野へのAI活用のあり方を決定づける。たとえば飛行機や自動車が緊急事態に直面したら、AIは副操縦士として人間に従うのか。それとも逆か。一つひとつの用途に関して、進むべき方向を示すのは人間だ。AIの能力と、人間がAIの導き出す結果を検証する手順が進歩するなかで、進路が変わるケースも出てくるだろう。

AIへの従属が適切なケースもある。たとえばAIのほうが人間よりもマンモグラフィーを使った乳がん診断が得意なのであれば、AIを使うことで救われる命が出てくる。AIとのパートナーシップという道が最適なこともある。自動運転車が今日の飛行機における自動操縦機能と同じ役割を果たすのはそれにあたる。一方軍事への活用など、AIに対して厳格で明確な制限を課し、それをしっかり共有することが必須のケースもある。

AIは、人間は何を知っているのか、どのように知るのか、何を知りうるのかという認識を大きく変えるだろう。近代において重視されてきたのは、人間の知性がデータの収集や調査によって得た知識や、観察を通じて導き出した洞察だった。ここで真実の理想的なかたちとされていたのは、実験を通じて検証可能な唯一無二の命題だった。

しかしＡＩ時代には、人間と機械のパートナーシップの産物としての知識という概念が重要性を帯びる。人間が集団として、人間の知性とは異なるロジックに基づき、人間では太刀打ちできないほど多くのデータを迅速かつ体系的に調べることのできるコンピューター・アルゴリズムをつくり、運用する。そうしたアルゴリズムの働きによって、（機械の協力を得るまでは）人間には考えつかなかったような世界の特徴が明らかになることもあるだろう。

ある意味では時間の圧縮、つまり「タイムトラベル」によって、ＡＩはすでに人間の認知を超越している。人間の知能では完了するのに数十年、あるいは数百年もかかるような分析と学習のプロセスを、ＡＩはアルゴリズムと計算能力によってあっという間にこなしてしまう。とはいえ、ＡＩの機能には時間と計算能力だけでは説明できないものもある。

汎用人工知能

人間とＡＩは相互補完的な強みを持ち、まったく同じ現実に異なる立場からアプローチしているのだろうか。それとも部分的に重複はあるものの、二つの異なる現実を認識しているのだろうか。

人間が理性によって解き明かすことのできる現実と、ＡＩがアルゴリズムを通じて解き明かすことのできる現実が、別個に存在しているのだろうか。後者だとすれば、AIが人間には認識できない事柄を認識できるのは、人間が合理的思考によってそこに到達する時間がないためだけではなく、そもそもそれが人間の知性の及ばない領域に存在しているためということになる。人間がある種の知識を手に入れるためには、それを探しに行き、持ちかえってくる役割をAIに委ねるしかないと認めてしまえば、世界を完全に理解するための人間の探求は、未来永劫変わってしまう。

いずれにせよAIが今後ますます充実した広範な対象を探索するようになれば、人間にとって世界を経験し、理解する仲間のように思えてくるだろう。道具とペットと知性を組み合わせたような存在だ。

研究者がAGIの実現に近づけば、あるいはAGIを実現すると、こうした問題は一段と深刻になるだろう。第三章で述べたように、AGIは特定のタスクの学習と遂行にとどまらず、人間と同じように幅広いタスクを学習し遂行する能力を持つものと定義されている。AGIの開発には途方もない計算能力が必要なため、最終的に開発できるのは資金力のあるごく少数の組織に限られる可能性が高い。

現行のAIと同じようにAGIも普及させるのは容易なはずだが、その能力を考えると、用途には制限をかける必要がある。たとえば認可を受けた組織だけにAGIの運用を認めるのも、制限をかける方法のひとつだ。ただそうなると、こんな疑問が湧いてくる。ＡＧＩを管理するのは誰か。アクセスを許可するのは誰か。少数の組織が少数の「天才的」機械を運用する世界において、民主主義は成り立つのか。そのような状況におけるＡＩとのパートナーシップとは、どのような姿になるのか。

ＡＧＩが実現すれば、すばらしい知的、科学的、戦略的偉業といえる。しかしＡＩによって人間の営みに革命を起こすために、ＡＧＩを実現する必要はない。

ＡＩとこれまでの技術との違いは、そのダイナミズム、そして創発的な（言葉を変えれば予想外の）行動や解決策を生み出す能力にある。規制や監視を怠ると、ＡＩは私たちの期待、ひいては意図から外れていく可能性がある。ＡＩを制限するのか、パートナーとなるのか、それともＡＩに従うのかという判断を下すのは、人間だけではないだろう。ＡＩ自体が決めることもあれば、補助的要因が決定することもある。

人類を待ち受けるのは、底辺への競争かもしれない。ＡＩがプロセスを自動化し、人間が膨大なデータを調べられるようにし、物理世界やソーシャル世界を整理・再編するようになれば、最初に動いた者が有利になる。競争のプレッシャーから、リスク評価に十分な時間をかけず、あるいはリスクを無視してＡＧＩを導入する動きが出てくるかもしれない。

なんとしてもＡＩの倫理を確立する必要がある。ＡＩを制限するか、パートナーとするか、従属するかという一つひとつの判断は劇的な結果を引き起こすこともあれば、起こさないこともあるだろう。しかし、積み重なれば影響は絶大だ。こうした判断を各国がバラバラに下してはならない。人類が自らの手で共通の未来を形づくっていくためには、一つひとつの選択の指針となる共通の原則をまとめる必要がある。協調行動は難しく、ときには実現不可能かもしれない。しかしよりどころとなる共通の倫理がなければ、世界は不安定になるばかりだ。

ＡＩを設計し、訓練し、パートナーとする人々は、これまで人類には手の届かなかったような複雑でスケールの大きい目標を達成することができるだろう。

新たな科学的ブレークスルー、新たな経済効率、安全保障、社会的監視や管理の手段などだ。一方、そのようなかたちでＡＩの勢力拡大のプロセスや使用に関与できない人々は、自分には理解できない、設計も選択もしなかったものに監視され、研究対象とされ、影響されているという感覚を抱くだろう。これまで多くの社会は、個人や組織がそのような不透明な活動をすることを認めてこなかった。ＡＩを設計し、活用する人々は、こうした懸念の解消に取り組むべきだ。とりわけ技術専門家ではない人々に、ＡＩが何をしているのか、何をどのように「知っているか」を説明する必要がある。

動的で創発的というＡＩの性質が、曖昧さにつながるパターンが少なくとも二つある。ひとつはＡＩが人間の期待どおりに動いても、予見していなかった結果が出るパターンだ。それによってＡＩは、設計者が想定もしていなかった場所へ人類を連れていくかもしれない。一九一四年当時の政治家が昔ながらの軍事動員の論理に新たな技術を組み合わせると、ヨーロッパが戦争に巻き込まれるリスクがあることを認識していなかったのと同じように、慎重に検討せずにＡＩを使うと重大な結果を引き起こすおそれがある。それは自動運転車が人命を危険にさらすような決定を下すといった局所的事故もあれば、軍事対立など重大な事態のこともある。

もう一つは一部のアプリケーションに見られる、ＡＩは完全に予測不可能で、その行動はすべてサプライズというパターンだ。たとえば、アルファゼロを考えてみよう。「チェスの試合に勝て」という指示を与えただけで、一〇〇〇年を超えるチェスの歴史において人間が誰ひとり考えもしなかったような戦法を生み出した。人間がＡＩの目的をどれだけ慎重に規定しても、自由を与えられたＡＩが見いだすその達成方法は人間にとって意外な、ときにはぞっとするようなものかもしれない。

そう考えると、ＡＩの目的や権限は慎重に設計する必要がある。ＡＩの判断が命にかかわることもあるならなおさらだ。ＡＩにすべてお任せ、というのは許されない。また人間の監督、監視、あるいは直接的管理なしに、取り返しのつかない行動に出る許可を与えてはならない。人間が作り出したＡＩは、人間が監督すべきだ。しかし私たちの時代の問題の一つは、ＡＩを開発する能力やリソースを持つ人々が、それが社会全体に及ぼす影響を理解するのに必要な哲学的視点を持ち合わせていないことだ。ＡＩ開発者の多くは、基本的に自分たちが開発しようとしているアプリケーション、解決しようとしている問題のことしか考えていない。いったん足を止め、自分たちが生み出す解決策が歴史的革命を引き起こす可能性、あるいは自分たちの技術が多様な集団に及ぼす影響を考えることはない。必要なのは今何が生まれようとしているのか、それは人類にどのような意味を持つかを説明できる、ＡＩ時代のデカルトでありカントだ。

ＡＩの行動を制限するため、政府、大学、民間部門のイノベーターを巻き込んで合理的な議論や交渉を重ね、現在個人や組織の行動に課せられているようなルールを策定すべきだ。ＡＩには現在規制対象となっている製品、サービス、技術、組織と共通の特性もあるが、重要な相違点もあり、ＡＩについての明確な概念的および法的枠組みは存在しない。たとえば、常に変化する創発的な性質がＡＩの規制を困難にしている。ＡＩが現実にどのような機能をどのように果たすかは分野によって異なり、時間とともに変化するかもしれない。しかもどのように変化するかは予測できない。人間社会のガバナンスは、倫理に基づいて行われている。ＡＩにも固有の倫理が必要だ。それはＡＩという技術の性質だけでなく、それが引き起こすさまざまな問題も反映したものでなければならない。

既存の原則が当てはまらない状況も多いだろう。信仰の時代には、裁判所は神明裁判によって有罪か無罪かを判断していた。罪に問われた者同士に決闘をさせ、神が勝者を決めるのだ。理性の時代には、理性という指針に基づいて罪が決められ、因果関係や意図といった概念に沿うように罪と罰が付与されてきた。しかしＡＩは人間の理性に基づいて動くわけではない。人間のような動機づけや意図もなければ、内省もしない。

このためＡＩが登場すると、現在人間社会で使われている正義の原則をそのまま適用するのは難しくなる。独自の認識と判断に基づいて動く自律的システムの行動に対して、開発者は責任を負うのだろうか。行動したのはＡＩであるという事実によって、開発者は少なくとも法的には免責されるのか。ＡＩが犯罪の予兆の監視、あるいは有罪か無罪かの判断の補助に使われる場合、ＡＩは人間のパートナーを納得させるために、判断に至った経緯を「説明」する能力を求められるのだろうか。

ＡＩの進化がどのような段階に達したら、どのような分野で国際規制の対象とすべきかというのも重要な論点となる。タイミングが早すぎれば、ＡＩの成長の芽を摘んでしまう、あるいはその能力を隠蔽しようとする動機づけが生まれるおそれがある。反対に遅すぎれば軍事分野などで重大な悪影響が生じるリスクがある。さらに厄介なことに、目に見えず、不透明で、容易に拡散する技術について有効な検証の仕組みを構築するのは難しく、それも国際規制の策定を難しくしている。正式な交渉の担い手は必然的に政府になる。ただ技術や倫理の専門家、AIを開発・運用する企業、さらにはそれ以外の人々が議論する場も用意する必要がある。

AIが社会に引き起こすジレンマは重大なものだ。いまや私たちの社会的、政治的生活の大部分がAIを使ったネットワーク・プラットフォーム上で起きている。とりわけ民主国家においてはその傾向が顕著で、議論や言論を通じて世論を形成し、正当性を与えるうえでこうした情報空間が果たす役割は大きい。AIの役割を決めるのは誰か。それを規制するのは誰か。AIを使用する個人の果たすべき役割は何か。AIを生み出す企業の役割、AIを活用する政府の役割はどうか。

こうした問いに答える一環として、AIを監査の対象とすること、すなわちそのプロセスや結論の妥当性を確認し、修正できるようにする方法を検討すべきだ。また修正を加えるためには、AIの認知や判断の様式に対応した原則をつくることがカギとなる。自律的AIの世界には、倫理観、意志、因果関係といった概念は容易に当てはまらない。このような問いは、運輸、金融、医療といったさまざまな側面で、かたちを変えながら生まれてくるだろう。

AIがソーシャルメディアに及ぼす影響を考えてみよう。近年のイノベーションを通じて、こうしたプラットフォームは急速に集団生活の重要な側面を担うようになった。ツイッターやフェイスブックが特定のコンテンツや個人を目立たせたり、目立たなくさせたり、あるいは完全に排除したりできるという事実は、その強大な力を物語っている。第四章で見たとおり、こうした機能はすべてAIによって実現している。

AIによってコンテンツや思想が一方的に、たいてい不透明なかたちで推奨されたり削除されたりすることは、とりわけ民主国家において深刻な課題となっていくだろう。社会生活や政治生活が次第にAIの編集する領域、AIの編集に頼らなければ成り立たない領域へと変化していくなかで、私たちは自らの主体性を維持することができるだろうか。

大量の情報を活用するためにAIを使うと、必ずゆがみという問題が生じる。人間が本能的に好むような世界をAIが助長する。私たちの認知バイアスをAIが直ちに増幅していく。選択肢の多さ、選択・選別する力が相まって、偽情報が反響しながら拡散していく。ソーシャルメディア企業は意図して政治の極端で暴力的な二極化を煽るようにニュースフィードを運営しているわけではない。しかしこうしたサービスが知的言論を促進する効果を生んでいないことは明らかだ。

AI、情報の自由、思考の独立性

それでは私たちとＡＩとの関係性はどうあるべきだろうか。ＡＩを制限すべきか、権限を委譲すべきか、それともこうした空間を統治するためのパートナーとすべきか。ある種の情報の流通、とりわけ意図的な偽情報の拡散が有害で、分断を招き煽ることに議論の余地はない。何らかの制限は必要だ。

しかし有害情報が直ちに非難され、叩かれ、抑圧される現状についても、よく考える必要がある。自由な社会は「有害」や「偽情報」という概念の定義を企業に一任すべきではない。しかし、その役割を政府の委員会や機関に委ねるのであれば、権力者による悪用を防ぐため、そうした組織が明確な公的基準と検証可能なプロセスに基づいて運営されるようにすべきだ。その役割をＡＩアルゴリズムに委ねるのであれば、目的関数、学習、判断、行動を明確にし、外部審査の対象とし、少なくとも何らかのかたちで人間が異を唱えられる仕組みにしなければならない。

当然ながら、どのような答えを出すかは社会によって異なるだろう。言論の自由を重視し（その度合いは個人の表現に対する考え方によって異なるかもしれないが）、ＡＩがコンテンツを修正する機能に制限をかけるところもあるかもしれない。それぞれの社会が価値観に基づいて選択をするので、国際的ネットワーク・プラットフォームの運営会社との関係は複雑なものになるだろう。

ＡＩは吸収力が高い。つまり人間がＡＩを設計し、構築していく過程でも、人間から多くを学習する。このため社会によって選択が異なるだけでなく、それぞれの社会のＡＩとの関係性、ＡＩに対する考え方、ＡＩが人間の教師を模倣しながら学習するパターンも異なるはずだ。

とはいえ人々が事実や真実を探求しようとすると、得体の知れない、検証も不可能なフィルターを通して人生を経験することにつながってしまう社会はおかしい。現実がどれほど矛盾と複雑性に満ちたものであっても、それを自ら経験することは人間が生きるうえで重要だ。たとえそれが非効率や失敗につながったとしても。

ＡＩと国際秩序

国際社会が答えを見いだすべき問いは山ほどある。安全保障への影響を懸念する国々の緊張を煽ることなく、ＡＩを使ったネットワーク・プラットフォームを規制するにはどうすればいいのか。そうしたネットワーク・プラットフォームは、伝統的な国家主権の概念を脅かすものだろうか。それが引き起こす変化は、国際社会にソ連崩壊以来の深刻な対立を生むのか。小規模国家は反発するだろうか。対立を仲裁しようとする試みは成功するのか、そもそも成功する望みはあるのか。

ＡＩの能力が向上しつづけるなかで、そのパートナーとしての人間の役割を定義するのは一段と重要になると同時に難しくなる。重大な問題をめぐる判断でＡＩ依存が強まった世界を考えてみよう。敵対する相手がＡＩを配備したとき、しかもそれがどのような影響を引き起こすか見通せないとき、国を守るべき指導者は自らの責任においてＡＩを配備しないという判断を下せるだろうか。ＡＩが優れた行動指針を推奨する能力を身につけ、しかもその決定が大きな犠牲をともなうものである場合、人間は合理的に拒絶できるだろうか。その犠牲が勝利に欠かせないものなのか、人間はどうすれば判断できるだろうか。もしその犠牲が勝利に欠かせないものなら、政策立案者は本当に拒絶しようと思うだろうか。

要するに、私たちにはＡＩを開発する以外の選択肢はないのかもしれない。ただ同時にＡＩを人間の未来と両立しうるものに形づくっていく義務もある。

人間の経験、とりわけリーダーシップに不完全性はつきものだ。政策立案者は偏狭な見解にとらわれがちだ。誤った仮定に基づいて行動することもあれば、感情に振り回されることもある。イデオロギーによって視野がゆがめられることもある。人間とＡＩとのパートナーシップを支える戦略がどのようなものになるにせよ、そうした欠陥に目配りする必要がある。ＡＩが人間には太刀打ちできない能力を持つ分野では、人間を取り巻く不完全な世界に合わせてＡＩを使用しなければならない。

安全保障分野では、ＡＩを活用したシステムの応答性がきわめて高くなることが予想され、敵対する勢力は互いにシステムが作動する前に攻撃しようと試みるかもしれない。その結果、核兵器が生み出したものと同じような本質的に不安定な状況が生まれる可能性がある。ただ、核兵器は政府、科学者、戦略家、倫理学者が数十年にわたって構築してきた国際的な安全保障の枠組みや軍備管理の概念の下に位置づけられており、改善、議論、交渉の対象となっている。一方、ＡＩとサイバー兵器にはそれに相当する枠組みが存在しない。そもそも兵器の存在すら認めようとしない政府もあるだろう。兵器化されたＡＩとどう共存していくのか、各国は（おそらくテクノロジー企業も巻き込んで）合意を形成する必要がある。

政府の防衛機能を通じたＡＩの拡散によって、国際均衡のあり方、そしてこれまで均衡を支えてきた各国の計算は一変するだろう。核兵器は開発負担が大きく、またその大きさや構造上隠すのが難しい。それに対して、ＡＩは誰でも入手できるコンピューター上で動く。機械学習モデルを訓練するためには専門知識やコンピューティングのリソースが必要であるため、ＡＩの開発には大規模な企業や国民国家が必要だ。一方、ＡＩの応用は比較的小型のコンピューターでも可能なので、幅広い勢力が入手でき、好ましからざる者の手に渡ることもあるだろう。

ＡＩを使った兵器はいずれノートパソコンとインターネット接続環境があり、さらにダークウェブを渡っていく才覚のある者なら誰でも入手できるようになるのだろうか。各国の政府は敵対する相手に嫌がらせをするため、自らの息のかかった組織、あるいはまるで関係のない組織にＡＩを使わせたりするだろうか。テロリストはＡＩを使った攻撃をたくらみ、その責任を特定の国家や他の組織になすりつけたりするだろうか。

これまで秩序ある予測可能な舞台で行われてきた外交は、情報と活動の両面で大きく広がっていく。かつては鮮明だった地理的および言語的境界は、ますます曖昧になっていく。人間の通訳者は言語を学ぶなかで相手文化に親しみ、文化的衝突をやわらげてきたが、ＡＩ翻訳が対話を取り持つようになればそうした緩衝機能はなくなる。ＡＩを使ったネットワーク・プラットフォームは国境を越えるコミュニケーションを促す。ただそれに加えてハッキングやデマが引き続き人々の認識や評価をゆがめるだろう。複雑性が高まるなか、国と国が実行可能で、結果も予想可能な協定を結ぶことはますます難しくなっていく。

ＡＩの機能をサイバー兵器に搭載すると、こうしたジレンマは一段と深まる。人類はこれまで通常兵器（伝統的戦略と整合性がある）と例外的存在である核兵器をはっきり区別することで、核のパラドクスを回避してきた。核兵器の攻撃は無差別的であるのに対し、通常兵器のそれは差別的だ。しかしサイバー兵器は差別的攻撃も大量破壊も可能で、境界は消滅する。そこにＡＩが加われば、サイバー兵器はいよいよ予測不可能になり、より破壊的になる可能性がある。

それと同時に、こうした兵器はネットワーク上を移動するため、帰属先を突き止めるのは難しい。また探知するのも難しく（核兵器と違って、ＵＳＢに入れて持ち運ぶこともできる）、それが拡散につながる。ＡＩの動的で創発的な性質から、いったん開発されると管理が難しい場合もある。

こうした状況はルールに基づく世界秩序の前提を揺るがす。また、ここからＡＩ時代の軍備管理の概念を構築するという非常に重大な責務も浮かび上がる。ＡＩ時代の抑止力はこれまでの常識どおりには機能しないし、それは不可能だ。核の時代が幕を開けた頃、（政府の要職を務めた経験のある）ハーバード大、ＭＩＴ、カリフォルニア工科大学の高名な教授たちが議論の末にまとめた理念が核軍備管理という概念的枠組みにつながり、最終的に管理体制が生まれた（アメリカなど複数の国ではそれを実行するための政府機関も誕生した)。

学識経験者の議論は重要なものだったが、国防総省を中心とする通常戦争に関する議論とは切り離して進められた。従来の議論を修正するのではなく、新たに追加すべき要素を検討していたためだ。しかし、ＡＩが軍事使用される可能性のある領域は核兵器と比べても広く、また少なくとも現時点では攻撃と防御の区別も明らかではない。

これほど複雑で、本質的に計算できない世界に、さらなる誤解や過ちの原因としてＡＩが加わろうとしている。ハイテク能力を有する超大国は遅かれ早かれ恒久的対話を開始しなければならないだろう。対話では破滅的惨事を回避し、人類を存続させるという基本的課題に集中すべきだ。

ＡＩをはじめとする新たな技術(量子コンピューティングなど)は、人間を人間の認知力だけでは触れることのできなかった現実へと近づけているようだ。しかし最終的にはこうした技術にも制約があることに、私たちは気づくのかもしれない。今直面している問題は、こうした技術の持つ哲学的意味をまだ理解できていないことだ。技術のおかげで進歩しているものの、その進歩は意識的ではなく、無自覚なものだ。

このように人間の意識が大きく変わるのは啓蒙主義時代以来だが、当時は新たな技術によって新たな哲学的洞察が生まれ、それがさらに技術(印刷機)によって広められたことで変化が起きた。翻って今、新たな技術は生まれたものの、指針となるべき哲学は出現していない。

ＡＩはすばらしい恩恵をもたらす可能性を秘めた壮大な挑戦だ。生み出しているのは人間だが、それを人々の暮らしを良くするために活用していくことができるだろうか。それとも悪くするのに使ってしまうだろうか。ＡＩはより優れた医学、効率的で平等な医療、持続可能な環境政策をはじめ、さまざまな進歩をもたらす可能性がある。ただ同時に、情報の消費や真実の追求をゆがめたり、少なくともそれを一段と困難にしたりする力もある。結果として自ら合理的に思考し、判断する能力が衰えてしまう人も出てくるかもしれない。

ＡＩを国家プロジェクトに位置づけている国もあるが、アメリカはまだ国家としてＡＩの応用範囲を体系的に調べたり、ＡＩがもたらしうる影響を研究したり、あるいはＡＩとの融和に乗り出したりといった状況にはない。そのすべてを国家の最優先事項と位置づけなければならない。このプロセスには幅広い領域で活躍する経験豊かな人材が協力する必要がある。政府機関、産業界、学術界から精鋭を集めた少人数のグループがプロセスを主導するのが効果的であろうし、また不可欠かもしれない。

このようなグループあるいは委員会は、少なくとも二つの機能を担うべきだ。

（一）　国家の観点から、ＡＩ分野で知的および戦略的競争力を維持できるようにする。

（二）　国家および国際社会の観点から、ＡＩが文化に与える影響を研究し、認識を高める。

それに加えてこのグループは、既存の国レベルあるいは地域レベルのグループとも積極的に協力する必要がある。

私たちは本書をあらゆる人類の文明、全人類にかかわる壮大な試みが進むなかで執筆している。ＡＩを生み出した人々に必ずしもそのような認識はなかっただろう。ただ問題を解決したいと思っただけであり、人間の条件について考え、それを変革しようといった思惑があったわけではない。技術、戦略、哲学のどれか一つが他を置き去りにしないように、何らかのかたちで三者の足並みをそろえる必要がある。伝統的社会のなかで守るべき部分はどこか。より良い社会を実現するために、リスクを冒してよい部分はどこか。ＡＩの創発的性質を、どうすれば社会規範や国際均衡といった伝統的概念に融合することができるだろうか。私たちがこれまで経験したことのない、直感の働かない状況に関して、他にはどのような問いと向き合うべきか。

そして最後に「メタ・クエスチョン」ともいうべき究極の問いがある。ＡＩの時代に必要とされる哲学を、人間は自らとは異なる方法で世界を解釈し、理解するＡＩの「力を借りて」生み出すのだろうか。人間は機械を完全には理解できないが、機械と共存しながら世界を変えていく宿命なのだろうか。イマヌエル・カントは『純粋理性批判』の序文を次のように書き出している。[2]

人間の理性のある種の認識には、特別な宿命のようなものがある。理性は拒むことのできない問いに悩まされ続けているのである。この問いは、理性の本性そのものから課された問いでありながら、理性はそれに答えることができない。それが人間の理性のすべての能力を超えた問いだからである。（中山元訳『純粋理性批判１』）

カント以来数世紀にわたり、人類は知性、理性、現実そのものの本質にかかわるこうした問いと向き合ってきた。その過程ですばらしいブレークスルーもあった。同時にカントが想定していたさまざまな制約（人間には答えることのできない問いや、完全に理解することのできない事実の存在）にも直面した。

人間の理性だけではおよそ手の届かない情報の学習・処理能力を持つＡＩの登場によっ

て、これまで人間の手には負えないと見られてきた問題の解明が進むかもしれない。だがAIが成功するほど、本書で考察してきたような新たな問題も生じるだろう。人間の知能が人工知能と出合った今、国家、大陸、さらには世界規模の探求への応用が進んでいる。この変化を理解し、指針となる倫理を確立するには、科学者や戦略家、政治家や哲学者、宗教指導者や経営者など社会を構成するさまざまなメンバーが積極的に関与し、知恵を出し合う必要がある。国内的にも国際的にもこのようなコミットメントが求められる。

人間と人工知能のパートナーシップとはどのようなものか、そこから生まれる新たな現実とはどのようなものか、今こそ明らかにする必要がある。

1　J. M. Roberts, *History of the World* (New York: Oxford University Press, 1993), 431 - 432.
2　Immanuel Kant, *Critique of Pure Reason*, trans. Paul Guyer and Allen W. Wood, Cambridge Edition of the Works of Immanuel Kant (Cambridge, UK: Cambridge University Press, 1998), 99（『純粋理性批判１』カント著、中山元訳、光文社、二〇一〇年）.

謝辞

幅広い分野・世代の人々の議論の触媒となることを目指す本書自体が、幅広い分野・世代の同僚および友人たちの協力の産物だ。

熱意と勤勉さと目に見えないものへの感性に優れたメレディス・ポッターは、私たちの議論を一つの枠組みにまとめるため、調査、原稿の下書き、編集、調整に努めてくれた。

途中からプロジェクトに加わったシュイラー・ショウテンは、卓越した分析力と文章力によって本書の主張、具体例、ストーリーを改善してくれた。

ベン・ダウスは最後にプロジェクトのメンバーとなったが、歴史の知識に裏打ちされたベンの調査が加わったことで、プロジェクトは首尾よくまとまった。

編集者兼発行人であるブルース・ニコラスは、賢明な助言を与え、優れた編集能力を発揮するだけでなく、私たちの際限ない書き直しに辛抱づよくつきあってくれた。

アイダ・ロスチャイルドは持ち前の的確さと洞察力をもって、すべての章を編集してくれた。

ムスタファ・シュリーマン、ジャック・クラーク、クレイグ・ムンディ、マイスラ・ラグーはそれぞれイノベーター、研究者、デベロッパー、教育者としての経験を活かし、原稿全体に貴重なフィードバックを与えてくれた。

人工知能に関する国家安全保障委員会（NSCAI）のロバート・ワークとイル・バジュラクタリは、責任ある国益保護に対する常に変わらぬ熱意を持って、安全保障に関する章の草稿にコメントを寄せてくれた。

デミス・ハサビス、ダリオ・アモデイ、ジェームズ・J・コリンズ、レジーナ・バージレイはそれぞれの研究内容とその意義を、私たちに説明してくれた。

エリック・ランダー、サム・オルトマン、リード・ホフマン、ジョナサン・ローゼンバーグ、サマンサ・パワー、ジャレット・コーエン、ジェームズ・マニカ、ファリード・ザカリア、ジェイソン・ベント、ミシェル・リッターのフィードバックのおかげで、本書の内容はより正確に、また（私たちの期待を込めていえば）読みごたえのあるものになったと思う。

至らない点があれば、すべて私たち著者の責任である。

著者について

ヘンリー・キッシンジャーは一九七三年九月から一九七七年一月まで、第五六代アメリカ合衆国国務長官。一九六九年一月から一九七五年一一月までは大統領補佐官（国家安全保障担当）も務めた。一九七三年にノーベル平和賞、一九七七年に文民にとって最高の栄誉とされる大統領自由勲章、一九八六年に米国憲法センターが自由に貢献した人物を表彰するリバティ・メダルを受賞。現在は国際コンサルティング会社キッシンジャー・アソシエーツの会長を務める。

エリック・シュミットはテクノロジスト（技術専門家）、起業家、慈善事業家。二〇〇一年にグーグルに入社し、シリコンバレーのスタートアップからグローバルなテクノロジー・リーダーへの成長に貢献する。二〇〇一年から二〇一一年まで最高経営責任者（CEO）兼会長、その後は取締役会長兼技術アドバイザーを務めた。シュミットのリーダーシップの下でグーグルはイノベーションの文化を維持しつつ、飛躍的なインフラの拡大と製品の多角化を実現した。二〇一七年にはより良い世界を創る傑出した人材を早い段階から支援する慈善事業シュミット・フューチャーズの共同設立者となった。新型コロナウイルス感染症のパンデミック後に社会がより明るい未来を築く方法を模索するポッドキャスト『リイマジン・ウィズ・エリック・シュミット』のホストを務める。

ダニエル・ハッテンロッカーはマサチューセッツ工科大学（MIT）のシュワルツマン・カレッジ・オブ・コンピューティングの初代学部長。それ以前にはニューヨークシティのコーネル大学で、テクノロジー領域を中心とする大学院コーネル・テックの設立に参画し、初代学部長兼副学長を務めた。ACMフェローシップ、CASEプロフェッサー・オブ・ザ・イヤーなど受賞歴多数。コーネル大学のコンピューター・サイエンス教員、ゼロックス・パロアルト研究所（PARC）の研究者および管理職、フィンテックのスタートアップの最高技術責任者（CTO）など学術界および産業界で幅広く活躍。マッカーサー基金、コーニング社、アマゾン・ドットコムなどの理事・取締役も歴任。ミシガン大学で学士号、MITで修士号および博士号を取得している。

訳者について

土方奈美 ひじかた・なみ

翻訳家。慶應義塾大学文学部卒業。

日本経済新聞、日経ビジネスなどの記者を務めたのち、2008年に独立。

2012年モントレー国際大学院にて修士号(翻訳)取得。

米国公認会計士、ファイナンシャル・プランナー。

訳書にエリック・シュミット他著『How Google Works』、

リード・ヘイスティングス、エリン・メイヤー著『NO RULES　世界一「自由」な会社、NETFLIX』、

ジリアン・テット著『Anthro Vision　人類学的思考で視るビジネスと世界』など多数。

AIと人類

2022年8月16日　1版1刷

著　者　ヘンリー・キッシンジャー
　　　　エリック・シュミット
　　　　ダニエル・ハッテンロッカー
訳　者　土方奈美
発行者　國分正哉
発　行　株式会社日経BP
　　　　日本経済新聞出版
発　売　株式会社日経BPマーケティング
　　　　〒105-8308 東京都港区虎ノ門4-3-12

装幀　水戸部功
本文デザイン　野田明果
DTP　マーリンクレイン
印刷・製本　中央精版印刷株式会社

ISBN 978-4-296-11465-8
Printed in Japan

本書籍に関するお問い合わせ、ご連絡は下記にて承ります。
https://nkbp.jp/booksQA